CW00704750

EL BOTIQUÍN NATURAL DEL VIAJERO

EL BOTIQUÍN NATURAL DEL VIAJERO

manuales integral

El botiquín del viajero

Redacción: Núria Viver
Diseño de cubierta: La Page Original
Fotografía de cubierta: La Page Original
Compaginación: Pacmer, S.A. (Barcelona)

Pérez Galdós, 36 – 08012 Barcelona
www.rbalibros.com
rba-libros@rba.es

Primera edición: julio de 2002

Ref.: MI-74 / ISBN: 84-7901-873-9
Dep. Legal: B. 30.303-2002
Impreso por Novoprint

ÍNDICE

INTRODUCCIÓN

Cada vez son más las personas que dedican una parte de su tiempo de ocio a conocer nuevos lugares, más o menos lejanos de su zona de residencia. Las facilidades en cuanto a medios de transporte que ofrece la sociedad actual permiten a gran número de personas desplazarse cómodamente por el mundo, a veces, invirtiendo poco tiempo en el trayecto. Por otra parte, también son muchos los profesionales que deben viajar por motivos de trabajo. Todas estas personas se alejan en mayor o menor medida de su ambiente habitual y de su casa, lo que puede resultar muy agradable en muchos casos, aunque también tiene sus inconvenientes: pasear por París con una ampolla en el pie no es la mejor manera de conocer esta bella ciudad; soportar un intenso dolor de cabeza en un lugar desconocido, sin tener a mano el tratamiento habitual, tampoco resulta muy agradable. Es cierto que no sólo en nuestro país existen farmacias, pero podríamos ahorrarnos algunos problemas si tuviésemos en cuenta las pequeñas (o grandes) molestias que nos pueden acontecer durante un viaje.

Algunas personas son especialmente sensibles a los desplazamientos; los niños, las personas mayores, las que sufren una enfermedad crónica y las mujeres embarazadas, por ejemplo, experimentan trastornos con mayor facilidad. Los niños se marean con frecuencia en el coche, el autobús o el barco; los ancianos necesitan cuidados especiales; los enfermos tienen que tomar sus medicamentos habituales y pueden sufrir trastornos debidos a su enfermedad, y las mujeres embarazadas pueden sentir molestias. Sin embargo, todos pueden disfrutar de un maravilloso viaje con un poco de previsión y conocimientos. Sería ideal que el desarrollo de la humanidad permitiera a una persona con una insuficiencia renal en programa de diálisis viajar a otra ciudad y continuar allí su tratamiento durante unos días; esto empieza a ser posible, pero todavía de forma limitada.

También debemos tener en cuenta que existen muchas formas de viajar. Algunas personas prefieren contratar el viaje a través de una agencia, otras organizárselo a su modo; algunos eligen viajar en su propio coche o en avión, autobús, tren o barco, y otros prefieren ir a pie o en bicicleta. Todas estas formas distintas de viajar plantean problemas diversos. Así, sufrir un accidente en la montaña donde hay lugares poco transitados o de difícil acceso puede dejarnos a merced de nosotros mismos. La previsión es la clave de la tranquilidad en todos estos tipos de desplazamiento, pero los aspectos a considerar son diferentes.

Es una realidad que los países tropicales y subtropicales cada vez reciben más viajeros que acuden atraídos por los paisajes maravillosos, las culturas diferentes, las costumbres desconocidas, los productos originales... Pero en estos países también existen enfermedades desconocidas en nuestras tierras y, entre ellas, las infecciosas son las que dan lugar a los problemas más importantes: paludismo, amebiasis, fiebre amarilla, dengue, esquistosomiasis, cólera y un largo etcétera. Se trata de enfermedades graves, que pueden llegar incluso a producir la muerte. No obstante, una serie de medidas preventivas y, sobre todo, el conocimiento de estas infecciones pueden ayudar a evitarlas, a minimizar sus efectos o a identificarlas para ponerse lo antes posible en manos del especialista adecuado. En estos países existe también el problema de las picaduras de insectos, contra las cuales conviene estar prevenido porque, además de las lesiones de la propia picadura, pueden transmitir enfermedades. La diarrea del viajero, un nombre genérico que engloba múltiples causas, es muy frecuente entre las personas que viajan a zonas cálidas, pero puede evitarse en gran medida siguiendo una serie de normas higiénicas sencillas.

A continuación trataremos todos estos aspectos, siempre con la premisa de que conviene llevar lo necesario. No se trata de llevar la farmacia encima cada vez que se sale de viaje, pero tampoco de ignorar los posibles problemas de salud que pueden amargarnos el viaje.

LOS PREPARATIVOS DEL VIAJE

Los preparativos del viaje son muy importantes, tanto si se trata de una simple excursión en bicicleta como de un viaje a África. Por supuesto, no llevaremos las mismas cosas en uno y otro caso, pero llevar lo adecuado a las circunstancias nos sacará de más de un apuro. Según el tipo de viaje, será también conveniente prever una visita al médico, e incluso al especialista en Medicina Tropical, para que nos aconseje sobre las vacunas que debemos ponernos y los posibles problemas de salud que pueden presentarse.

Las personas que padecen una enfermedad crónica deben planificar bien la cantidad y el tipo de medicamentos que deben llevarse, para no tener que abandonar un tratamiento o comprar medicamentos en un país extranjero. Sin embargo, no hace falta estar enfermo para recordar que siempre hay que llevarse la tarjeta sanitaria y, si se viaja a países no europeos, es muy conveniente contar con un buen seguro de viaje.

Vamos a analizar algunos aspectos concretos que conviene tener en cuenta antes de iniciar un viaje.

ACUDIR AL MÉDICO

Es una buena idea acudir al médico antes de emprender un viaje, especialmente si se trata de un viaje largo o a un país con problemas de salud diferentes de los nuestros. Podemos pedirle consejo sobre los tratamientos más adecuados para los trastornos que padecemos habitualmente en los viajes o sobre otros aspectos relacionados con las medidas de higiene más adecuadas.

Sin embargo, las personas que más necesitan acudir al médico antes de viajar son las que padecen una enfermedad crónica: hipertensión, diabetes, enfermedades cardiacas, pulmonares, renales, hepáticas, etcétera. Un examen previo de las condiciones de nuestro organismo es una buena base para evitar males mayores durante el viaje. Por otra parte, el médico puede ayudarnos a planificar los medicamentos que debemos llevar o los productos que nos permitirán controlar el azúcar en la orina o en la sangre en caso de diabetes. También puede tranquilizarnos respecto a nuestras cifras tensionales o, por el contrario, aconsejarnos sobre la conveniencia de tomarnos la presión de vez en cuando en el lugar de destino.

Es conveniente también que las personas que acuden habitualmente a un homeópata o naturópata le hagan una visita antes de salir de viaje. El homeópata puede aconsejar al viajero remedios constitucionales para ponerle en óptimas condiciones físicas; también puede indicarle ciertos remedios que le ayuden a solucionar algunos problemas que puedan presentarse. La medicina alternativa dispone de numerosos medios para aliviar dolores o pequeños trastornos que, sin ser graves, son capaces de hacer desaparecer de un plumazo el placer de conocer nuevos lugares. Pensemos, por ejemplo, en los masajes, que pueden aliviar los dolores derivados de las largas caminatas, las técnicas de reflexoterapia, muy adecuadas también en caso de dolor o pequeñas molestias, la digitopuntura, muy eficaz en el tratamiento de diversos trastornos, o las plantas medicinales, que pueden solucionar, entre otros, problemas como el insomnio.

La visita previa al médico es también importante en caso de mujeres embarazadas, ancianos y niños. El médico puede desaconsejar un viaje o sugerir un cambio de transporte por otro más seguro. Sus consejos siempre serán útiles.

ROPA Y CALZADO

Es un aspecto importante que depende mucho del tipo de viaje que vayamos a realizar.

Si pensamos caminar por una ciudad para conocer sus rincones, o si nos gusta visitar museos o exposiciones, lo ideal es llevar un calzado cómodo, sin tacones y más bien holgado, para evitar la aparición de ampollas que nos amargarán con seguridad la estancia. Las ampollas se producen por la presión continua del calzado sobre una zona húmeda y caliente, por lo tanto, éste no deberá calentar excesivamente los pies. Lo mejor es emplear zapatos de un material natural que se ajusten al pie sin apretar demasiado. Es mejor llevar zapatos deportivos ya usados que comprarse unos especiales para la ocasión, porque generalmente el calzado nuevo debe sufrir primero un proceso de adaptación a la forma del pie que es mejor realizar en condiciones habituales, no durante un viaje. Por otra parte, es conveniente que la suela sea gruesa y cómoda; las suelas finas favorecen el dolor en las marchas largas. Deberemos prever también, por supuesto, calzado adecuado para asistir a actos sociales.

En cuanto a la ropa, lo ideal es que sea cómoda y de fibras naturales, especialmente en los viajes que se realizan en verano o a países cálidos, ya que las infecciones causadas por hongos se asientan preferentemente en zonas que se mantienen húmedas durante largo rato. El algodón y el lino son tejidos absorbentes que, además, permiten la circulación del aire, especialmente en las prendas holgadas. También hay que tener en cuenta que los colores claros son más frescos que los oscuros.

Por supuesto, si durante el viaje pensamos realizar actividades deportivas específicas, deberemos llevar ropa y calzado adecuados, pero sin olvidar que una vez en el lugar de destino puede surgir la propuesta de una pequeña excursión a pie o en bicicleta. ¡Que no nos pille desprevenidos!

SEGUROS DE VIAJE

La mayoría de los viajes transcurre sin ningún problema, pero cuando se produce algún trastorno de salud grave, la lejanía lo empeora todo, especialmente si no disponemos de un seguro que se haga cargo de los gastos. Conviene asegurarse de que la agencia de viajes o la compañía aérea cubre los problemas de salud que puedan presentarse. Si, por el contrario, viajamos por nuestra cuenta hemos de tener presente que, excepto en la Unión Europea, los gastos sanitarios no los cubrirá la Seguridad Social, lo que puede ser un gran problema en caso de enfermedad grave. Hay que tener en cuenta también que puede ser necesaria una repatriación de urgencia.

Los problemas más graves se presentan en los viajes a países lejanos con estructuras de salud deficientes. En estos casos, es muy conveniente, antes de partir, hacerse un seguro que cubra cualquier eventualidad.

EL BOTIQUÍN DEL VIAJERO

Algunos medicamentos y algunos remedios pueden sernos de mucha utilidad durante el viaje y la estancia lejos de casa. Por supuesto, no conviene llevar un botiquín demasiado grande, pero sí algunos productos que puedan ayudarnos a solucionar o aliviar pequeños trastornos.

Las personas que habitualmente toman algún medicamento deben prever la cantidad suficiente para el viaje, incluso un poco más para cubrir una eventual prórroga de la estancia. La hipertensión, por ejemplo, no desaparece cuando nos vamos de viaje, por lo tanto, es absolutamente necesario continuar el tratamiento.

Por otra parte, algunas personas padecen trastornos que no requieren un tratamiento continuado, sino intermitente. Ocurre con el estreñimiento, que suele empeorar en los viajes, o con ciertos tipos de angina de pecho; que pueden hacer que el paciente sufra una crisis; los comprimidos de nitroglicerina u otros similares no deberán faltar en el pequeño botiquín de viaje de una persona con esta enfermedad.

Es conveniente que los diabéticos, incluso los que se controlan sólo con dieta, se lleven un producto adecuado para medir la glucosa en la orina o en la sangre, de modo que puedan descubrir a tiempo una posible descompensación, que puede producirse fácilmente debido al cambio de alimentación, la falta o el exceso de ejercicio y las diferentes condiciones de vida. El nerviosismo del viaje puede alterar en cierta medida el metabolismo de la glucosa.

Para prevenir posibles contratiempos es importante tener en cuenta los remedios naturopáticos y homeopáticos, que pueden sacarnos de muchos apuros sin someternos a los efectos secundarios de los medicamentos alopáticos. Las plantas medicinales pueden ser útiles para aliviar los casos leves de estreñimiento o insomnio; es mejor llevarlas en comprimidos, para evitar el engorro de tener que preparar una infusión fuera de casa. Según nuestras necesidades concretas podemos valorar la utilidad de incluir en nuestro botiquín alguna de las siguientes plantas, siempre en una forma que permita un fácil transporte y no requiera preparación:

- **Valeriana.** Se puede encontrar en cápsulas y es eficaz en caso de insomnio o nerviosismo.

- **Áloe vera.** Se utiliza en gel en caso de quemaduras solares y pequeñas lesiones.

- **Hipérico.** Aplicado externamente alivia el dolor y favorece la curación de pequeñas heridas y ulceraciones. La ingestión del hipérico, aparte de tener muchas virtudes, es digestiva.

En cuanto a la homeopatía, son muchos los remedios que pueden resultarnos útiles. Lo ideal es consultar previamente con un especialista para que indique al viajero el remedio más adecuado a su constitución; sin embargo, éstos son algunos remedios que conviene tener en consideración:

- **Tabacum.** Se emplea en caso de mareo durante el viaje. Tomar un comprimido cada hora mientras duren los síntomas.

- **Nux.** Combate la debilidad, el dolor de cabeza y el estreñimiento. Tomar un comprimido dos o tres veces al día.

- **Colocynth.** Se emplea en caso de diarrea. Tomar un comprimido dos o tres veces al día.

- **Cantharis.** Al igual que el Rhus tox, es útil para las ampollas. Tomar un comprimido dos o tres veces al día.

- **Apis.** Es útil para las picaduras de insectos. Tomar un comprimido dos o tres veces al día.

Las esencias florales de Bach disponen de los remedios de rescate, que se presentan en forma de crema o tintura. La crema puede ser útil en caso de pequeñas lesiones, arañazos, quemaduras solares e irritación de la piel. La tintura se emplea para reducir el nerviosismo y recuperar la calma en situaciones estresantes.

Aparte de estos remedios naturales es aconsejable incluir:

- **Suero de rehidratación oral.** El contenido del sobre se debe mezclar con un líquido, y es aconsejable en caso de diarrea abundante, pues repone las pérdidas de líquido e iones. Muy útil en caso de diarrea del viajero.

- **Laxante.** Las personas que padecen frecuentemente estreñimiento suelen empeorar de esta dolencia en los viajes, debido a la alimentación pobre en fibras vegetales y al nerviosismo propio de los cambios en la vida cotidiana. Es conveniente que, incluso las personas que no suelen tomar laxantes, lo incluyan en el botiquín de viaje. Es aconsejable un laxante que aumente el bolo intestinal sin irritar el colon, o un producto con fibra vegetal para añadir al desayuno (salvado). No conviene emplear un laxante irritativo o potente para evitar complicaciones.

También debemos pensar en los productos necesarios para desinfectar y curar pequeñas heridas, ampollas, esguinces, quemaduras... Es esencial incluir:

- **Tiritas.** Muy útiles para cubrir ampollas, pequeñas heridas o rozaduras de los zapatos. Conviene llevarlas de varios tamaños para adaptarlas a distintas lesiones y zonas del cuerpo.

- **Povidona yodada.** Se emplea como antiséptico para desinfectar las heridas. Basta con un frasco pequeño, eso sí, bien tapado para evitar que los posibles cambios de presión causen una catástrofe.

- **Gasas.** Unas bolsitas de gasas serán necesarias para aplicar el desinfectante en caso de heridas o ampollas que se hayan reventado.

- **Venda elástica.** Puede ser muy útil en caso de esguince en un tobillo.

VIAJAR EN AVIÓN

Es una de las formas más habituales de viajar, tanto por negocios como por vacaciones. Permite llegar rápidamente al punto de destino, lo cual hace posible desplazamientos a lugares lejanos en poco tiempo. Pero tiene inconvenientes, a veces, nada despreciables: los viajeros deben permanecer durante algún tiempo (más o menos largo, según el viaje) en un espacio reducido sin demasiadas posibilidades de moverse; por otra parte, suele ser escasa la ingesta de líquido y el aire, muy seco. Especialmente en los viajes largos, la relativa inmovilidad y la escasa ingesta de líquidos favorecen el estancamiento de la sangre, sobre todo, en las piernas; esto puede dar lugar a la formación de trombos, que pueden desprenderse y producir una embolia pulmonar.

Además de los problemas derivados de la falta de movimiento, los viajes largos en avión nos hacen atravesar a veces varios husos horarios, de forma que, cuando llegamos a nuestro destino, la hora solar local no coincide con la que nuestras células reconocen por su ritmo circadiano interno. Este trastorno, denominado *jet lag*, puede dar lugar a diversas molestias capaces de amargarnos el viaje durante unos días.

Las personas que temen viajar en avión padecen las molestias derivadas de la angustia y la ansiedad, a menudo agravadas por pequeñas turbulencias, por la proximidad de una tormenta o por los comentarios desafortunados de algunos vecinos de vuelo poco considerados con el miedo ajeno.

Viajar en avión es rápido, pero muchas personas no consideran que sea la mejor forma de desplazamiento.

Los aviones son monstruos intensamente contaminadores que nos llevan muy lejos sin que nos demos cuenta verdaderamente de la distancia real entre el punto de partida y el de llegada. El viaje no cuenta, sólo el lugar de destino. Por eso, algunas personas prefieren viajar lentamente y gozar así del trayecto.

MIEDO A VOLAR

Es frecuente, sobre todo la primera vez. Cierto grado de ansiedad ante un viaje en avión es normal, pues el ser humano no está hecho para volar. Sin embargo, a veces el miedo es muy intenso e incluso puede dar lugar a alteraciones físicas desagradables: dificultades de concentración, insomnio, irritabilidad, pérdida del apetito, náuseas, palpitaciones, sudoración, sequedad de boca, manos frías y sudorosas, aumento de la tensión arterial, temblores, etcétera. Psíquicamente, la persona con miedo a viajar en avión tiene la sensación de que el tiempo no pasa, de que el ruido de los motores ha cambiado (¡quizá se ha detenido uno!), se siente sobresaltada ante las pequeñas turbulencias e imagina catástrofes continuamente. Se trata, en definitiva, de una situación difícil de soportar.

No existe una receta milagrosa para evitar el miedo a volar, si no es, evidentemente, el cambio de medio de transporte, una medida a tener en cuenta. Las personas afectadas deben valorar los distintos métodos para combatir su miedo y elegir los que les parezcan más adecuados y eficaces. Podemos considerar los siguientes consejos y remedios:

- **Preparación psicológica previa.** Se basa en una serie de razonamientos que se hace la persona antes del viaje con objeto de disminuir su miedo. Es bien conocido que los accidentes de avión son mucho menos frecuentes que los de cualquier otro medio de transporte, especialmente el coche. Miles de personas vuelan cada día sin problemas y llegan a su destino sanas y salvas. Razonar en este sentido los días previos al viaje es una buena preparación.

- **Visualizaciones.** Los días previos al viaje, la persona afectada puede sentarse o estirarse en un lugar tranquilo, relajarse y visualizar su viaje en avión. Debe imaginar todo el recorrido desde su casa hasta el lugar de destino, con todo detalle. Todo transcurre perfectamente, el viaje es agradable e incluso divertido, y la llegada es espectacular, de lo más hermoso. Lo ideal es hacer varias visualizaciones de este tipo los días previos e incluir en alguna de ellas elementos perturbadores como las turbulencias, aunque deben vivirse con tranquilidad.

- **Plantas medicinales.** Son suaves y están prácticamente exentas de efectos secundarios, sobre todo si las comparamos con los medicamentos alopáticos. Podemos tomar comprimidos de valeriana antes de subir al avión y repetir la dosis durante el vuelo si el viaje es largo.

- **Medicamentos.** Si la preparación previa y los remedios naturales no funcionan, podemos recurrir a los medicamentos alopáticos. El médico nos recetará el ansiolítico que considere conveniente para nuestro caso. No es de ningún modo la mejor solución, pero permite librarse temporalmente de la ansiedad que produce el vuelo.

Los niños también pueden sufrir ansiedad y miedo ante un viaje en avión. Para intentar evitarlo, conviene explicarles detalladamente antes de salir lo que ocurrirá y hacer juegos que les permitan ponerse en la situación de una forma divertida. También es conveniente evitar en lo posible las largas esperas en el aeropuerto, así como las prisas. Durante el vuelo, los juguetes u otros elementos de distracción pueden facilitar el trayecto y evitar el miedo.

PREVENIR LA TROMBOSIS

Un avión es un aparato relativamente pequeño si tenemos en cuenta la cantidad de horas que muchos pasajeros pasan en él. La mayor parte del tiempo estamos sentados en el asiento intentando que los minutos transcurran lo más rápidamente posible. Leemos una revista o un libro, charlamos con el compañero de viaje, intentamos dormir, o vemos la película que echan en los pequeños televisores del avión. Alguna que otra vez, nos levantamos unos minutos, sólo para ir al lavabo, pues el poco espacio no favorece el movimiento. Hemos pasado mucho tiempo sin ser conscientes de los problemas que esta inmovilidad puede acarrear a nuestro organismo, pero cada vez son más los profesionales de la salud que alertan sobre ellos a los viajeros de largas distancias.

A la inmovilidad, se añade la falta de ingesta de líquidos que también caracteriza a estos viajes. Es cierto que podemos pedir todo el agua que queramos, pero la verdad es que no solemos hacerlo. Así, en lugar de agua preferimos beber zumos, refrescos o bebidas alcóholicas. Esta escasa ingesta de líquidos y la sequedad del aire ambiental favorecen una cierta deshidratación.

La poca movilidad y la ligera deshidratación hacen que la sangre se mueva lentamente por las venas y disminuya su fluidez, lo que favorece la formación de trombos en las venas, especialmente en las piernas. Estos trombos pueden romperse posteriormente, cuando volvemos a llevar una vida normal, y provocar una embolia pulmonar, una enfermedad muy grave que puede, incluso, provocar la muerte.

Aparentemente, son pocas las personas que desarrollan una trombosis venosa como consecuencia de un viaje largo en avión. Sin embargo, merece la pena tener en cuenta esta posibilidad para poder prevenirla.

La prevención es muy sencilla: basta con evitar en lo posible la inmovilidad y beber agua abundante durante el vuelo.

¿Qué podemos hacer para evitar que la sangre se acumule en las piernas? Existen varias soluciones que dependen de las condiciones del vuelo.

- **Llevar ropa cómoda durante el vuelo.** Conviene ponerse algo cómodo para las horas de avión. La ropa ajustada dificulta todavía más la circulación sanguínea e impide que la sangre ascienda libremente desde las piernas.

- **Dar un paseo por el avión.** Consiste en levantarnos cada hora y recorrer los pasillos del avión durante cinco o diez minutos, procurando contraer bien los músculos de las pantorrillas. Es un procedimiento discreto que puede servirnos para hacer una excursión al lavabo si tenemos necesidad. Su realización dependerá de las condiciones del vuelo, así como del tamaño del avión y de la cantidad de pasajeros.

- **Agacharnos con la espalda recta.** Es otra posibilidad que podemos alternar con la anterior. Consiste en colocarse en el pasillo, con las manos apoyadas en el respaldo del asiento de uno y otro lado, y agacharse flexionando las piernas, de puntillas y sin doblar la espalda. Este pequeño ejercicio estimula la circulación de la sangre en las piernas. Podemos realizarlo entre diez y treinta veces.

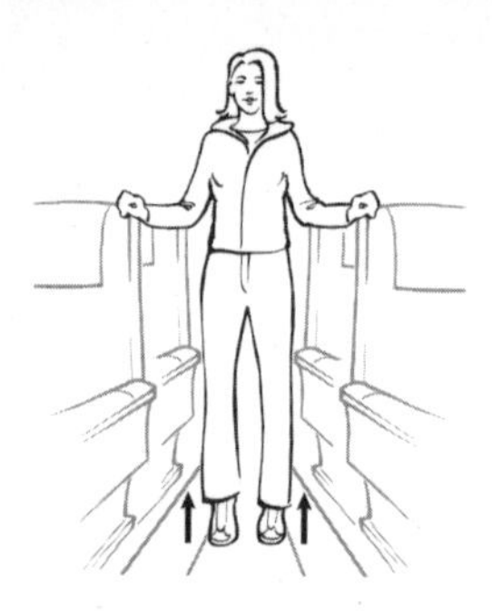

- **Flexionar los tobillos.** Si nos resulta imposible levantarnos del asiento debido a que el avión va muy lleno o las condiciones atmosféricas nos mantienen sujetos al asiento con el cinturón de seguridad puesto, podemos simplemente mover los pies arriba y abajo con energía para contraer las pantorrillas en el propio asiento. Lo ideal es hacer el ejercicio durante cinco o diez minutos cada hora. Si podemos, lo alternaremos con los dos anteriores.

- **Beber agua abundante.** Para evitar la deshidratación, conviene beber suficiente agua. Lo ideal es ingerir un mínimo de dos litros en veinticuatro horas.

En viajes largos, es mejor disponer de una botella grande propia, para no estar pidiendo agua a las azafatas a cada momento. Hay que tener en cuenta que el café tiene propiedades diuréticas y que el alcohol favorece la deshidratación; esto no significa que no debamos beber estos productos, sino que no debemos basar nuestra ingesta en ellos. Los zumos alternados con el agua son una buena solución para evitar la deshidratación.

Estas sencillas medidas nos permitirán evitar en gran parte los problemas derivados de la inmovilidad y la deshidratación en los viajes largos, aunque conviene realizarlas también en los vuelos cortos. Por supuesto, debemos prever unas horas de sueño «nocturno» si procede; generalmente, en los vuelos largos, se suelen apagar las luces por la noche para favorecer el sueño.

JET LAG

Se conoce con el nombre inglés *de jet lag* (síndrome de los husos horarios) a una serie de trastornos que suelen padecer las personas que viajan en avión a zonas con una franja horaria muy diferente de la del país de origen. Cuando llegan a su destino, la hora local es muy diferente de la que marca su reloj biológico, es decir, la del país de donde proceden.

El funcionamiento del organismo humano sigue unos ciclos llamados circadianos (de veinticuatro horas) que provocan la segregación de diferentes hormonas y sustancias en diferente cantidad según la hora del día. Así se explica que tengamos sueño por la noche y estemos activos durante el día. Al llegar a un país lejano con un horario diferente, debemos adaptar este ciclo a la nueva situación. Sin embargo, la adaptación tarda unos días, durante los cuales el viajero experimenta una serie de trastornos más o menos molestos. El reloj biológico hace que la persona tenga sueño al mediodía y se encuentre completamente despierta por la noche. Esta situación produce irritabilidad más o menos intensa y duradera. El aparato digestivo también se resiente de los cambios porque recibe alimentos en un horario al que no está acostumbrado, lo que puede producir ardor de estómago, pesadez, meteorismo, etcétera. Los síntomas más molestos son el cansancio, la incapacidad para concentrarse, la dificultad para tomar decisiones, la falta de apetito, la somnolencia diurna y el insomnio nocturno; la primera es especialmente molesta, ya que la mente se encuentra embotada y no se disfruta de forma natural de los lugares nuevos.

Un desfase horario de cuatro horas o menos se tolera bien; uno de doce horas o más, también. Los principales problemas aparecen cuando la diferencia horaria comprende entre cuatro y doce horas. Por otra parte, los viajes hacia el oeste se toleran mejor que los que se hacen hacia el este, porque en aquéllos el día de llegada se alarga, mientras que en los segundos el día de llegada se acorta y se reducen las horas de sueño.

Los síntomas suelen desaparecer después de tres o cuatro días, aunque depende del número de husos horarios atravesados. El ritmo circadiano se adapta poco a poco a la nueva situación.

Los trastornos ocasionados por el *jet lag* pueden minimizarse adoptando una serie de medidas sencillas como las siguientes:

- **Dormir lo suficiente los días anteriores al viaje.** Lo ideal es aumentar un poco el tiempo destinado al sueño los días previos al viaje, para que el organismo pueda soportar mejor el cambio de horario posterior.

- **Seguir el horario del nuevo país desde el primer día.** A pesar del cansancio y del sueño, es conveniente no acostarse hasta que sea la hora habitual de hacerlo. De lo contrario, la adaptación tardará más en producirse.

- **Comer a la nueva hora.** A pesar de la falta de apetito, conviene acostumbrarse desde el primer momento al nuevo horario de comidas. Comer poco empeora las cosas y retrasa la adaptación.

- **Hacer ejercicio.** Caminar al aire libre y realizar otro tipo de actividades de ocio es lo más adecuado para adaptarse lo antes posible al cambio. Además, ayuda a mantenerse despierto y prepara al cuerpo para el descanso nocturno.

- **Tomar valeriana o un somnífero suave si el sueño no llega.** Si no es posible dormir tras una buena cena y un baño relajante, es conveniente provocar el sueño con algún remedio como la valeriana o un somnífero suave. El insomnio nos hace entrar en un círculo vicioso que alarga la adaptación.

OTROS TRASTORNOS

Un avión de los que habitualmente tomamos para viajar puede alcanzar una altura de vuelo de 8000 a 10 000 metros. A esta altura, la temperatura exterior y la concentración de oxígeno en la atmósfera son extremadamente bajas. Sin embargo, los modernos aviones disponen de mecanismos capaces de producir las condiciones de presión atmosférica que hay a unos 2500 metros de altura y esto hace que la inmensa mayoría de las personas no experimente ningún trastorno. Sin embargo, pueden producirse ciertas alteraciones:

- **Distensión abdominal.** Los cambios de presión durante el vuelo pueden dar lugar a distensión abdominal; para intentar evitarla, es conveniente no tomar bebidas gaseosas ni alimentos capaces de generar gases.

- **Dolor de oídos.** Es muy habitual, sobre todo durante el descenso. Se debe al colapso de la trompa de Eustaquio que comunica el oído medio con el exterior a través de la garganta. Es especialmente frecuente en los niños y puede evitarse tragando saliva o mascando chicle cuando se notan los primeros síntomas.

- **Frío.** El interior del avión suele tener una temperatura más bien baja debido al aire acondicionado, y muchas personas pasan frío durante el vuelo. Para evitarlo, conviene disponer de ropa de abrigo.

- **Sequedad en las conjuntivas.** La sequedad del aire en el interior del avión puede dar lugar a este trastorno. Generalmente, carece de consecuencias, pero puede constituir un problema para las personas que usan lentillas. Puede evitarse con un colirio adecuado (lágrimas artificiales).

- **Dolor de cabeza e irritabilidad.** La ligera disminución de oxígeno en el avión puede desencadenar estos trastornos en personas sensibles. El dolor de cabeza puede aliviarse con un analgésico.

VIAJAR POR CARRETERA

A pesar de que los accidentes en carretera son una de las tres causas más frecuentes de muerte, son muchas las personas que prefieren viajar en su coche particular. No podemos pasar por alto las ventajas de este medio de transporte (nadie nos molesta, salimos a la hora que queremos, nos detenemos donde y cuando nos apetece, vamos al lugar que preferimos, etcétera), pero tampoco podemos negar sus inconvenientes: poco espacio para movernos, varias horas al volante, dificultades de aparcamiento en las grandes ciudades, caravanas en las carreteras y autopistas, vigilancia del vehículo, necesidad de repostar periódicamente, falta de relación con los demás, etcétera. El coche particular es un arma de doble filo que, además, constituye un instrumento terrible de contaminación atmosférica. Sin embargo, pocas personas parecen darse cuenta de que la agresión del automóvil al medio ambiente nos afecta a todos, y los jóvenes siguen deseando sacarse el carnet de conducir y comprarse el coche más potente que puedan. Es una realidad innegable...

Otra forma de viajar por carretera es en autocar o autobús. También podemos tener un accidente, pero la frecuencia es mucho menor. Además, el autocar tiene más ventajas con respecto al coche particular: más espacio para movernos, posibilidad de relacionarnos con otras personas, no tenemos que conducir, ni poner gasolina, ni aparcar, ni estar pendientes del vehículo una vez estacionado... Las personas a las que les gusta hacer travesías a pie prefieren utilizar un medio de transporte público, porque les da más libertad, pues pueden abandonar el vehículo, hacer la travesía y tomar desde cualquier sitio otro autobús o tren para regresar. Esto no es posible en coche particular, a no ser que se disponga de otro equipo que haga la travesía en sentido contrario.

Por otra parte, los viajes por carretera también están sujetos a ciertos trastornos. No hablaremos ahora de los accidentes, pero sí del mareo, tan frecuente al viajar en coche, especialmente entre los niños, y del cansancio del conductor, que es sumamente peligroso para todos.

MAREO

El mareo es una sensación muy desagradable que provoca náuseas, malestar, molestias digestivas, palidez, sudoración, sensación vertiginosa y, en situaciones extremas, vómitos. El mareo se debe al trastorno que el movimiento produce en los órganos del equilibrio que tenemos en el oído interno y que ayudan al cerebro a coordinar la información sobre la posición del cuerpo en el espacio. Algunas personas son especialmente sensibles al movimiento, en lo cual también interviene un aspecto psicológico: el miedo a marearse. Por otra parte, los niños son muy propensos al mareo, seguramente debido a la inmadurez de su sistema regulador del equilibrio.

¿Qué podemos hacer para evitar este molesto trastorno? Existen diversos tipos de métodos, algunos procedentes de la medicina alternativa y otros de la medicina alopática.

Entre los procedentes de la medicina alternativa destacan los siguientes:

- **Aromaterapia.** Recomienda echar unas gotas de aceites esenciales de menta y jengibre en un pañuelo e inhalarlos durante el viaje.

- **Flores de Bach.** Sugiere emplear el remedio de rescate, que se aplica en las sienes y los puntos del pulso. También pueden tomarse dos o tres gotas de una solución en agua preparada por el especialista.

- **Homeopatía.** Tomar Cocculus indicus 6 quince minutos antes de iniciar el viaje; si aparecen los síntomas tomar Tabacum y Rhus toxicodendron cada hora hasta notar mejoría.

- **Digitopuntura.** Recomienda presionar un punto situado tres dedos por encima del hueco de la muñeca en su parte interna (en línea con el dedo gordo), o el punto situado en la parte alta del abdomen, justo por debajo de la punta del esternón. Estos puntos se presionan intensamente con la punta del dedo o la uña a la vez que se imprime un movimiento rotatorio. La duración de la presión debe comprender de treinta segundos a cuatro minutos.

- **Reflexoterapia facial.** La estimulación de ciertos puntos de la cara también resulta útil para evitar y tratar el mareo. Se puede realizar con la punta del dedo o con un instrumento de punta redondeada y gruesa (como un bolígrafo de los que tienen una pequeña bola en el extremo superior). Presionar fuertemente cada punto (ver dibujos) mientras se describen círculos sin moverse del lugar. Basta con veinte o treinta movimientos para cada punto.

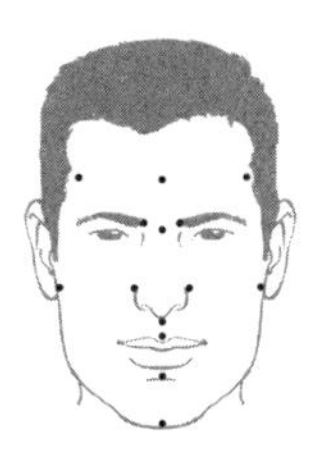
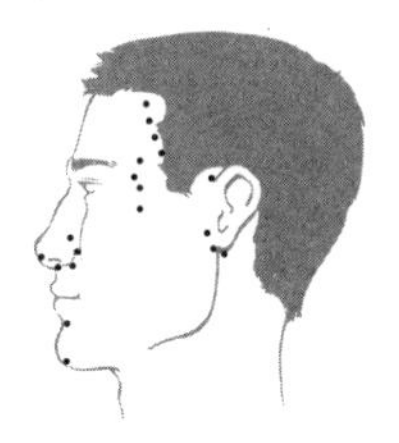

La medicina alopática recomienda tomar un comprimido de dimenhidrinato aproximadamente una hora antes del viaje. En la mayoría de los casos, este medicamento es suficiente para evitar la aparición del trastorno, aunque, como todos los medicamentos alopáticos, no está exento de efectos secundarios.

Las personas propensas al mareo pueden evitarlo si toman una serie de medidas, como sentarse en la parte delantera del vehículo, no leer ni realizar ninguna actividad que implique mirar de cerca un objeto dentro del vehículo o no volver la cabeza de un lado a otro para hablar con otro pasajero o por otros motivos. Lo mejor es mantener la cabeza recta, tranquilamente apoyada en el respaldo, y mirar el punto más lejano posible del paisaje. Tampoco es buena idea empezar el viaje con el estómago vacío, aunque también favorece el mareo salir inmediatamente después de una comida copiosa y con alcohol. Conviene comer de forma moderada alimentos que no resulten pesados para el aparato digestivo y hacerlo al menos una hora antes de salir.

CANSANCIO DEL CONDUCTOR

Los viajes largos en coche tienen el grave inconveniente de favorecer el cansancio del conductor, causa importante de accidentes. La ley regula la cantidad de horas seguidas que puede estar al volante un conductor de camión o de autocar, pero no dice nada sobre los vehículos particulares. Es el sentido común el que debe alertarnos sobre la necesidad de ser prudentes en este aspecto. Las precauciones que tomemos antes de salir a la carretera para un viaje largo nunca serán pocas, sobre todo si tenemos en cuenta que no sólo debemos atender nuestros propios deslices, sino los de los demás.

Los viajes con más riesgo de sufrir cansancio son los que se realizan en solitario y por una vía monótona (autopista o vía rápida). La falta de estímulos, como la conversación, favorece el adormecimiento.

Para evitar los accidentes derivados del cansancio, es útil tener en cuenta algunos consejos:

- **Emprender el viaje después de un descanso adecuado.** Es mejor salir temprano por la mañana que después de un largo día de trabajo. Si debemos viajar, conviene prever un sueño largo y tranquilo la noche anterior.

- **Hacer el viaje con escalas.** Si el viaje es muy largo, es mejor hacerlo en dos días o más. Podemos encontrar lugares interesantes para pasar una tarde y una noche agradables.

- **Hacer paradas frecuentes.** Lo ideal es parar cada dos o tres horas, al menos un cuarto de hora, para estirar un poco las piernas y tomar un refresco o un café.

- **Evitar las horas de más calor.** Conducir en verano cuando el sol está alto favorece el sueño, especialmente después de comer. Si se puede evitar, es mejor hacerlo en horas más frescas.

- **No conducir inmediatamente después de comer.** La digestión de una comida copiosa favorece el sueño. Tampoco se debe conducir si se ha ingerido alcohol.

- **Detenerse inmediatamente ante el mínimo signo de sueño.** Si esperamos un poco, quizá nos encontremos en la cuneta o bajo un camión. Dormir durante unos minutos en un lugar protegido al lado de la carretera suele ser suficiente para despejarse. Después del sueño, conviene dar un corto paseo.

- **Poner la radio.** La música animada o la radio pueden ser de gran ayuda si se viaja solo por una carretera monótona.

- **Beber agua.** La leve deshidratación que se produce al conducir durante muchas horas seguidas también favorece el cansancio y el sueño. Conviene llevar siempre en el coche una botella de agua para beber durante el viaje.

- **Llevar un pulverizador con agua.** Es útil si se viaja solo y hace calor. Pulverizar agua en las mejillas, la frente y el cuello es un estímulo que despeja considerablemente la cabeza.

En la actualidad, los fabricantes de coches investigan mecanismos para evitar los accidentes por adormecimiento del conductor. Sus resultados están todavía por evaluar.

VIAJAR EN BICICLETA O A PIE

Cada vez son más las personas que consideran una buena idea hacer ejercicio a la vez que conocen lugares nuevos. La bicicleta es un buen instrumento para ambas cosas, lo mismo que las piernas, pues además de poder visitar lugares inaccesibles para el coche, también podemos llegar a los mismos lugares que con éste. Tardamos más tiempo, sí, pero tenemos múltiples ventajas: no hay atascos, hacemos deporte, visitamos sitios tranquilos...

Podemos utilizar la bicicleta para distintos tipos de viajes:

- **Cicloturismo.** Se recorren largas distancias por carretera o por otro tipo de caminos. Se pueden visitar ciudades de países diferentes o hacer circuitos de varios días o semanas por el propio país. Hay que llevar todo el material necesario para pasar varios días fuera de casa, por eso las bicicletas diseñadas para cicloturismo están acondicionadas con varios dispositivos para colgar las mochilas.

- **Bicicleta de montaña.** Están pensadas para ir por pequeños caminos en llano o en montaña. Están preparadas para pasar por lugares complicados, con muchas piedras, con barro, etcétera.

- **Excursiones por ciudad o campo.** También podemos realizar pequeñas excursiones en bicicleta de una tarde o de un día por una zona rural o por la ciudad. Es una buena forma de hacer ejercicio y de llegar a lugares que quizá no habíamos visto nunca.

La marcha es otra excelente manera de visitar lugares y de hacer deporte. Es especialmente adecuada para favorecer la circulación de la sangre y prevenir enfermedades cardiovasculares, el mal de nuestro tiempo. Cada vez son más los médicos que recomiendan andar a todas las personas, sobre todo, si tienen cierta edad o algún problema que les impide hacer deportes más activos. Por otra parte, la marcha nos permite gozar del placer de andar por un camino al borde del mar o por una senda montañosa, alcanzar lugares tranquilos de montaña, donde quizá veamos animales salvajes, y conocer todos los rincones de una gran ciudad.

Tanto si vamos en bicicleta como andando, necesitaremos un equipo adecuado y un pequeño botiquín que nos permita hacer frente a posibles lesiones o problemas. Un buen calzado es imprescindible para evitar lesiones durante la marcha, así como ropa cómoda y holgada. Conviene prever también ropa adecuada para un cambio de tiempo, así como unos recambios mínimos si se sale en bicicleta. El teléfono móvil nos puede sacar de más de un apuro.

PROTECCIÓN SOLAR

Las travesías y excursiones al aire libre nos exponen a los distintos efectos de la luz del sol. Por un lado, los rayos solares son beneficiosos para la salud, puesto que favorecen la producción de vitamina D, necesaria para la correcta calcificación de los huesos, pero también son responsables de diversos tipos de lesiones, como el cáncer de piel, una enfermedad que ha aumentado mucho en las últimas décadas a causa de la disminución de la capa de ozono, lo que ha permitido la penetración de radiaciones perjudiciales para la vida.

El sol también puede ser perjudicial por el calor que transmite a nuestro cuerpo. Si nos exponemos durante mucho tiempo a sus rayos, nuestro cuerpo puede sufrir trastornos más o menos graves. El organismo es capaz de eliminar el exceso de calor a través de la dilatación de los vasos sanguíneos de la piel y el sudor, pero tiene unos límites. Si se sobrepasan, se produce una falta de adaptación del organismo y éste sufre alteraciones como:

- **Calambres.** Son contracciones muy dolorosas de ciertos músculos, sobre todo en las pantorrillas y el abdomen. Suelen ser consecuencia de una excesiva exposición al sol y al calor sin una reposición adecuada de las sales perdidas con el sudor. Puede sentirse también cansancio y náuseas. Para evitarlos conviene ingerir bebidas ricas en sales, de las que toman los deportistas (existen varias marcas comerciales).

- **Insolación.** La excesiva exposición al sol o a temperaturas elevadas provoca que el cuerpo pierda una cantidad de líquido y sales. En este caso, la pérdida de sales y agua no afecta sólo a ciertos músculos sino a todo el organismo. La piel se calienta y enrojece, el sujeto suda intensamente, tiene dolor de cabeza y náuseas, la vista se le nubla y se siente muy cansado. Es posible que no tenga sed, como sería de esperar, porque la pérdida de sales y agua no estimula los centros de la sed del cerebro. Se trata de un trastorno potencialmente grave que requiere atención inmediata. Lo primero que hay que hacer es trasladar al afectado a un lugar fresco y a la sombra. Seguidamente, refrescar su cuerpo con toallas mojadas en agua fría renovándolas a medida que se calientan. Conviene darle de beber abundante agua fresca o, si es posible, una bebida isotónica. Si las molestias persisten, hay que trasladarlo a un centro hospitalario.

- **Golpe de calor.** Es más grave que la insolación. En este caso, el organismo ya no puede adaptarse al aumento de temperatura exterior, y la temperatura corporal aumenta. Esto da lugar a trastornos importantes que, si no se tratan adecuadamente, pueden provocar la muerte de la persona. Nos encontramos ante una urgencia médica. Los síntomas son semejantes a los de la insolación, pero se añaden otros: la persona ya no suda y tiene la piel caliente, roja y seca; el afectado puede sufrir alteraciones de la consciencia ya que se encuentra adormilado, confuso y puede llegar a perder la consciencia; aumenta la frecuencia cardiaca; la respiración es más rápida y superficial, tiene fiebre alta, pudiendo llegar a los 40 °C, y convulsiones.

  Como en la insolación, lo primero que hay que hacer es poner al sujeto a la sombra y refrescar el cuerpo con toallas mojadas en agua fría que se van cambiando cuando se calientan. Si el sujeto está consciente, conviene darle de beber agua fresca o una bebida isotónica. Si su estado de consciencia está alterado, es mejor no darle nada de beber, porque podría aspirarlo y empeorar las cosas. Debe buscarse ayuda lo antes posible.

Además de los trastornos causados por el calor, el sol también produce enrojecimiento de la piel y quemaduras, pero el trastorno que más preocupa a los dermatólogos es el cáncer de piel, una enfermedad en constante aumento. Conviene tener siempre presentes los siguientes signos de alerta de esta temible enfermedad:

- Un lunar que cambia sus características: crece, pica, duele, sangra, cambia de color...
- Una úlcera o una lesión en la piel que no acaba de curar nunca.

- La aparición de una mancha oscura de aspecto irregular.

Si aparece alguno de estos signos, es conveniente acudir lo antes posible al dermatólogo, puesto que, si se diagnostica a tiempo, el cáncer de piel se puede curar.

Para protegernos de los rayos del sol e intentar evitar sus efectos perjudiciales sobre la piel, debemos tomar una serie de precauciones durante las excursiones al aire libre:

- **Llevar un sombrero o algo similar en la cabeza.** Constituye una protección importante para la cara, la cabeza y el cuello.

- **Llevar los hombros cubiertos durante la mayor parte del recorrido.** Ésta es la zona que sufre con mayor frecuencia los efectos nocivos del sol y, por lo tanto, no es conveniente llevarla descubierta durante mucho tiempo.

- **No andar durante más de media hora bajo el sol intenso.** Sobre todo en verano o en la nieve, no debemos andar durante las horas del mediodía, cuando el sol proyecta sus rayos de forma más vertical y, por lo tanto, más intensa.

- **Beber abundantes líquidos con sales.** Lo ideal son las bebidas especiales para deportistas, pero podemos beber agua y tomar algún piscolabis salado y fruta durante el camino.

- **Emplear un protector solar adecuado a nuestro tipo de piel.** El dermatólogo o el farmacéutico nos indicará el tipo de protección solar que mejor se adapta a nuestra piel.

LESIONES

Las lesiones constituyen otro tipo de problema muy frecuente en las excursiones en bicicleta o a pie. Las características irregulares del terreno, las zarzas y multitud de factores favorecen los rasguños, las caídas, las torceduras de tobillo, las heridas, etcétera. Por no hablar de las ampollas, tan frecuentes después de horas de marcha. La mayoría de las veces, se trata de problemas poco importantes que se pueden solucionar fácilmente con los productos del botiquín. No obstante, también podemos tener problemas graves, como una fractura, una luxación o una herida importante.

Las principales lesiones a tener en cuenta son las siguientes:

- **Ampollas.** Son muy frecuentes en los pies con motivo de las largas caminatas, pero pueden evitarse en parte con un calzado y unos calcetines adecuados. Una vez que la ampolla se ha producido, lo mejor es aplicar un antiséptico como la povidona yodada, por si la ampolla se rompe, y colocar una tirita sobre ésta.

- **Golpes y caídas.** Sufrir un golpe o una caída puede producir un hematoma o un cardenal. Durante la excursión, lo único que se puede hacer es presionar la zona para minimizar la hemorragia en el interior de los tejidos. Una vez en casa, colocar hielo aliviará el dolor.

- **Heridas.** Tienen dos peligros principales: la infección y la hemorragia. Para evitar la infección, lavar las heridas inmediatamente con abundante agua y jabón, y después aplicar povidona yodada. Para atajar la hemorragia, presionar la herida con fuerza durante unos minutos.

- **Esguinces.** Las torceduras de tobillo también ocurren con relativa frecuencia, especialmente si se lleva un calzado inadecuado. Durante la excursión, la aplicación de agua fresca y un vendaje compresivo realizado con una venda elástica permiten llegar al lugar de destino sin excesivo dolor. Una vez en casa, conviene aplicar hielo y consultar al médico si los síntomas no desaparecen.

- **Fracturas.** Se trata de una lesión importante, que exige acudir al servicio de urgencias lo antes posible. Los primeros auxilios deben consistir en la inmovilización del miembro fracturado con lo que tengamos a mano, como, por ejemplo, unas tablillas atadas con cordeles u otro elemento.

- **Luxaciones.** También se trata de un trastorno importante que requiere acudir a un servicio de urgencias lo antes posible. No es conveniente intentar colocar de nuevo los huesos en su sitio, porque se trata de una técnica compleja que debe realizar un profesional.

- **Lesiones oculares.** Un golpe en el ojo con la rama de un árbol puede producir una irritación importante, por lo que es aconsejable acudir a un servicio médico lo antes posible.

- **Picaduras de insectos u otros animales.** En verano, es muy frecuente la picadura de insectos u otros animalitos en las excursiones por el campo o la montaña. Generalmente, no revisten ninguna gravedad, a no ser que la persona sea alérgica al veneno del animal. Un buen repelente de insectos nos será de utilidad si vamos a pasar la noche en una tienda de campaña o en una zona con mosquitos. Para aliviar el dolor, es útil dejar correr agua fresca por la zona durante unos minutos. También es eficaz frotar la piel lesionada con una pastilla de aspirina después de haberla lavado y desinfectado bien.

- **Mordeduras de serpiente.** En nuestro país, las especies venenosas no son muchas, pero son capaces de producir trastornos importantes. Ante una mordedura de serpiente, lo principal es mantener la calma, no moverse demasiado y, si es posible, mantener la zona de la mordedura por debajo de la altura del corazón. Debe pedirse ayuda lo antes posible y esperar sentado, de esta forma, el veneno (si la serpiente era venenosa) actuará más despacio. Los hospitales grandes disponen de suero antiofídico como antídoto para las picaduras de las serpientes que existen en la zona.

MAL DE ALTURA

Los excursionistas que suben montañas altas o los viajeros que visitan zonas geográficas situadas a mucha altura sobre el nivel del mar pueden presentar este desagradable trastorno, especialmente si el ascenso es rápido y no se toman las precauciones adecuadas. Conforme ascendemos, la presión atmosférica disminuye y, con ella, la cantidad de oxígeno en el aire que respiramos. Éste es el origen de los trastornos que produce el mal de altura o mal de montaña.

Los síntomas de este trastorno son múltiples y variados. A partir de una determinada altura, que varía según la persona, aparece sensación de ahogo, aumento de la frecuencia respiratoria, aceleración del corazón, dolor de cabeza, vértigo, fatiga, náuseas, flatulencia, disminución del volumen de orina, sequedad de las vías respiratorias (irritación de la nariz, la garganta y los bronquios), sequedad de la conjuntiva y dificultad para la coordinación mental. A grandes alturas, puede producirse un trastorno muy grave denominado edema agudo de pulmón, que puede ser incluso mortal si no se trata rápida y adecuadamente. A unos 4000 metros de altura, puede aparecer insomnio como consecuencia de la dificultad respiratoria producida por la falta de oxígeno.

Este trastorno puede evitarse aumentando el tiempo de ascensión cuando la altura empieza a ser importante, es decir, haciendo una aclimatación adecuada. Se aconseja ascender de 200 a 300 metros cada día. Si aparecen síntomas graves, la única solución es descender lo antes posible. Una vez a un nivel inferior, los síntomas suelen desaparecer con relativa rapidez. No obstante, el edema agudo de pulmón requiere atención médica inmediata, dada su gravedad; se identifica por una dificultad respiratoria muy importante y por una expectoración rosada.

ENFERMEDADES DURANTE EL VIAJE

Las enfermedades tienen la mala costumbre de aparecer en cualquier momento, sin respetar periodos de vacaciones o viajes de negocios, eso sin contar que muchas veces el propio viaje o las condiciones del mismo predisponen a la enfermedad. El cambio de alimentación, de agua y de condiciones climáticas, el nerviosismo, el trajín, las caminatas, los mosquitos y un sinfín de elementos más pueden influir en la aparición o reagudización de una enfermedad.

Las personas que padecen una enfermedad crónica (coronaria, respiratoria, renal, hepática, neurológica, etcétera) saben en parte lo que les puede pasar y los medicamentos que deben tomar. Sin embargo, no está de más que sigan los siguientes consejos:

- **Acudir al médico antes de salir.** Los viajes en avión pueden ser contraproducentes para personas con ciertas enfermedades (especialmente coronarias), y el médico les podrá aconsejar al respecto. Tampoco está de más una revisión del estado de salud y de la medicación. No hay que olvidar solicitar las recetas necesarias para no quedarse sin medicamentos durante la estancia lejos de casa.

- **Llevar los medicamentos necesarios.** Las personas que toman uno o varios medicamentos deben preparar con tiempo su botiquín particular para que no les falte nada y prever medicamentos de sobra por si la estancia se prolonga. Las personas con enfermedades crónicas que no requieren una medicación continua (como el asma) también deben llevarse los medicamentos que utilizan cuando la enfermedad se agudiza, para no tener que correr si ésta surje.

- **No olvidar la tarjeta sanitaria.** Nunca se sabe si necesitaremos asistencia sanitaria en otra ciudad. Los datos de la Seguridad Social pueden ser necesarios para que no tengamos que pagar los gastos.

- **Averiguar los teléfonos de emergencias principales.** A veces ocurre que ante una emergencia, no tenemos a mano el número de teléfono que necesitamos para que todo funcione rápida y adecuadamente. Una pequeña lista en el monedero con el número del servicio de urgencias (112 para la CE), el de la compañía de seguros, el de la agencia de viajes, el de la familia, el de nuestro médico, etcétera, puede facilitar mucho las cosas en caso de necesidad.

Pero además de las enfermedades que uno se lleva consigo desde su casa, también podemos contraer otras durante el viaje. Cualquier enfermedad se puede presentar por primera vez durante las vacaciones o un viaje de otro tipo, pero algunas son más frecuentes, puesto que tienen relación con el propio viaje. Vamos a tratar a continuación de los trastornos más importantes.

DIARREA DEL VIAJERO

La diarrea es uno de los principales trastornos que padecen los viajeros, especialmente cuando visitan países en vías de desarrollo, con unas condiciones de higiene alimentaria y de agua precarias. Aproximadamente el 40 % de las personas que visitan estos países sufren una diarrea.

La causa más frecuente de la diarrea es una infección, generalmente bacteriana, aunque también puede deberse a un protozoo o un virus. Por otra parte, en algunos casos (personas con el intestino especialmente sensible), la diarrea se debe simplemente a una reacción del intestino al cambio de alimentación, de agua o de ambiente. En la mayoría de los casos se trata de una diarrea leve, que desaparece en pocos días (dos o tres) sin necesidad de tratamiento. Otras veces, los trastornos son más importantes y se acompañan de dolor abdominal, náuseas, vómitos y fiebre. El caso más grave da lugar a una diarrea intensa, a veces con sangre y moco, que puede llegar a deshidratar al enfermo si no se toman las medidas adecuadas.

La diarrea es consecuencia de la ingesta de comida o agua contaminada por un microbio, por eso es difícil sufrirla en países desarrollados, que suelen disponer de un buen servicio de saneamiento del agua y normas estrictas de manipulación de los alimentos. En cambio, en otros países que no disponen de capacidad para distribuir agua potable, es peligroso beber agua del grifo y comer alimentos que se venden en la calle.

Algunos consejos para evitar sufrir diarrea durante el viaje son los siguientes:

- **No comer alimentos preparados que se vendan en la calle.** En chiringuitos y mercados de algunos países, venden fruta ya pelada y con algún aderezo, así como otros alimentos preparados (enchiladas, bocadillos, etcétera). Son la principal fuente de contaminación, puesto que la persona que los prepara no suele conocer las normas de manipulación de los alimentos y, si es portadora de un microorganismo responsable de la diarrea, puede contaminar el alimento a través de las manos sucias.

- **No beber agua del grifo.** Podemos beberla con tranquilidad en países desarrollados, pero nunca debemos hacerlo en otros países (países tropicales o subtropicales y otros con pocas garantías) porque, en caso de disponer de algún método de saneamiento, a menudo es insuficiente o se aplica de forma intermitente. Es mejor beber agua embotellada o potabilizarla adecuadamente con cloro (dos gotas de lejía al 5 % por litro de agua) o yodo (cuatro gotas de concentrado al 2 % por litro de agua). También se venden comprimidos potabilizadores que se añaden al agua según las instrucciones de cada fabricante (generalmente, un comprimido por litro de agua). Según el tipo de viaje que hagamos, quizá sería interesante utilizar un filtro de agua o hervirla durante quince minutos.

- **Pelar o lavar bien las frutas.** Podemos comprar frutas en el mercado o en la calle, pero conviene lavarlas con agua previamente tratada y pelarlas adecuadamente antes de comerlas. Lo mismo debemos hacer antes de comer alimentos crudos como verduras para ensalada, etcétera.

- **Lavarse las manos a menudo.** Es una buena medida de higiene. A veces, nos ponemos los dedos en la boca sin darnos cuenta y, si hemos tocado algún objeto contaminado o las manos de una persona portadora de un microbio causante de diarrea, podemos enfermar. Es poco probable que suceda en países desarrollados.

- **Evitar las salsas preparadas con huevo.** Con frecuencia son responsables de intoxicaciones alimentarias que afectan a varias personas. Si una persona portadora de un microbio responsable de diarrea prepara una salsa con huevo puede transmitir este germen al producto, que en caso de no ser almacenado en la nevera, dará lugar a una intoxicación alimentaria en algunas personas que la ingieran.

- **No comer helados callejeros.** En ciertos países, los helados no se conservan en condiciones adecuadas de frío y, a veces, se preparan también de forma más o menos artesanal por lo que pueden contener gérmenes responsables de diarrea.

- **No añadir cubitos de hielo a las bebidas.** También en ciertos países, generalmente en los más calurosos, el hielo no tiene garantías de higiene, puesto que se prepara con agua a menudo contaminada. Conviene evitarlos.

- **No ingerir alimentos crudos o poco cocinados.** Carne, pescado o marisco crudos son alimentos que pueden contener microbios o parásitos productores de diarrea y otras enfermedades infecciosas. Conviene evitarlos en países poco desarrollados.

El principal aspecto que debemos considerar de la diarrea es su capacidad para deshidratar al enfermo, especialmente si se trata de un niño y es muy intensa. Por este motivo, lo primero que debemos hacer es beber líquidos para reponer las pérdidas. El tratamiento de la causa (generalmente una infección) no es necesario en la mayoría de los casos, ya que el propio organismo se encarga de ello. Deberemos pensar en acudir al médico cuando:

- **La diarrea sea muy abundante y se acompañe de vómitos.** Si los vómitos impiden la ingesta de alimentos o líquidos, el riesgo de deshidratación es importante.

- **La diarrea se acompañe de moco y sangre.** Puede tratarse de una disentería bacteriana o amebiana que requiere un tratamiento antibiótico y puede ser grave.

- **La diarrea sea increíblemente abundante y sin color ni dolor.** En algunos países poco desarrollados existe el cólera, una diarrea muy grave en la que las heces salen continuamente sin dolor y son de un color blanquecino, como agua de arroz. Puede deshidratar al enfermo en poco tiempo.

- **La diarrea se acompañe de malestar importante y fiebre alta.** Puede tratarse de una infección grave que requiere tratamiento inmediato.

Sin embargo, en la mayoría de casos, se trata de una diarrea leve que lo único que hace es impedir el desarrollo normal del viaje o simplemente complicarlo un poco. El tratamiento general de la diarrea se basa en:

- **Seguir una dieta astringente.** Deben evitarse los alimentos con fibra (verduras y frutas), así como las comidas con salsas o condimentadas. Lo ideal es limitarse al arroz hervido al principio e introducir poco a poco otros alimentos suaves. La zanahoria hervida y la manzana también son astringentes.

- **Beber muchos líquidos.** Las sales de rehidratación oral, que podemos tener en nuestro botiquín de viaje o que podemos comprar en el país donde nos encontremos, serán lo más indicado para recuperar tanto el líquido como las sales perdidas. Se presentan en sobres, y su contenido en polvo debe verterse en un litro de agua y beberse en abundancia (según la intensidad de la diarrea). También se puede ingerir una bebida isotónica, de las que toman los deportistas. En caso de no disponer de ninguno de estos elementos, beberemos otro tipo de líquido (refresco o agua).

La medicina alternativa dispone de los siguientes remedios para tratar la diarrea:

- **Homeopatía.** Recomienda tomar Colocynth si la diarrea se acompaña de dolor y las heces tienen un color amarillento y Áloe si la diarrea aparece después de comer y las heces son amarilloverdosas. Otros remedios útiles para tratar la diarrea son: Aconitum, Argentum nitricum, Arsenicum, Podophylum, Sulphur, Veratrum, Pulsatilla y China.

- **Fitoterapia.** Las plantas medicinales que pueden ayudar en caso de sufrir diarrea son: llantén mayor, geranio, agrimonia, semillas de alcaravea y canela. Sin embargo, durante un viaje suele ser bastante difícil su preparación.

- **Aromaterapia.** Esta terapia recomienda para el tratamiento de la diarrea frotarse la región lumbar y abdominal con Linalol de tomillo.

- **Digitopuntura.** Se basa en la estimulación de un punto que se encuentra en la base del dedo gordo (ver dibujo de la izquierda). Para tratar la diarrea se debe frotar esta zona con la punta del dedo durante un par de minutos. En caso de tener vómitos o retortijones, se puede añadir la estimulación de otro punto que se encuentra en la cara interna del antebrazo, a mitad de camino entre la muñeca y el codo (ver dibujo de la derecha).

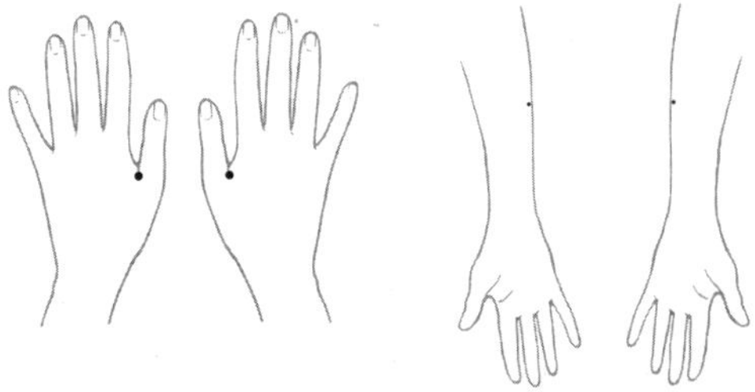

- **Reflexoterapia facial.** Consiste en estimular ciertos puntos de la cara con los dedos o con el extremo superior redondeado de un bolígrafo. Existen dos posibilidades: estimular los puntos marcados en el dibujo de la izquierda o recorrer con una presión enérgica la zona que rodea la boca (ver dibujo de la derecha) siempre de izquierda a derecha y terminando en el mentón. Realizar esta presión con los dedos índice y medio y con el pulgar apoyado bajo el mentón; apretar fuertemente y hacer el recorrido unas cincuenta veces. Estimular cada punto de la cara unas veinte veces.

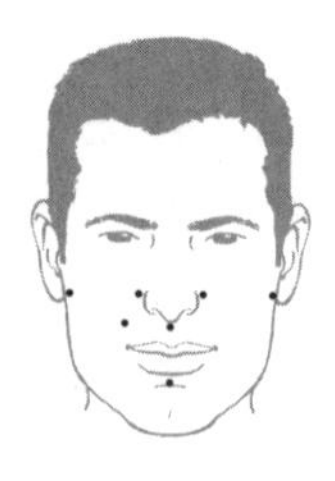

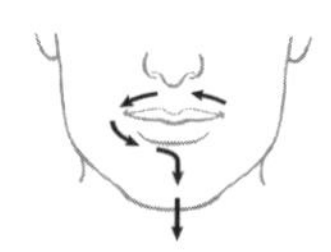

No es recomendable tomar antibióticos, porque no suelen acelerar la resolución del problema, tienen efectos secundarios y favorecen la aparición de resistencias bacterianas, que posteriormente hacen más difícil el tratamiento de los casos graves. Sólo hay que tomar antibióticos bajo prescripción médica. En caso de diarrea leve, podemos tomar loperamida, un medicamento que enlentece los movimientos intestinales y que, por lo tanto, disminuye la diarrea. Sin embargo, no es recomendable, puesto que mantiene al microbio más tiempo dentro del intestino, aunque en caso de necesidad puede sacarnos del apuro.

Es muy importante recordar que todos estos tratamientos, tanto de la medicina alternativa como de la alopática, deben acompañarse siempre de la reposición de los líquidos perdidos y de una dieta adecuada.

ESTREÑIMIENTO

El estreñimiento es un trastorno muy usual que sufren ciertas personas durante los viajes y que afecta con más frecuencia a las mujeres. El nerviosismo y la tensión, a veces inapreciable incluso para la propia persona, además de la predisposición personal, favorecen su aparición. Asimismo, el hecho de encontrarse en un lugar extraño, de disponer de poco tiempo para relajarse, de haber cambiado la rutina diaria y la alimentación son factores de riesgo.

Un hábito deposicional normal requiere la ingesta de fibras vegetales y agua abundantes, pues ablandan las heces; la escasez de estos elementos en la dieta favorece en gran medida el estreñimiento. Las fibras no se absorben, es decir, no pasan a la sangre para formar parte del proceso nutritivo del organismo, sino que se mantienen sin digerir en el intestino; esto favorece el aumento de la masa de las heces e impide que se endurezca.

Durante un viaje es difícil controlar la alimentación. Muchas veces estamos sometidos a la dieta que nos impone el hotel donde nos alojamos, y las posibilidades de adquirir comida son limitadas o no pensamos en ello. Sin embargo, si queremos aumentar la ingesta de fibra vegetal, podemos hacer algo: añadir fruta al desayuno, comer ensalada o verdura en lugar de pasta durante la cena, elegir pan integral, comprar fruta en el supermercado o en cualquier tienda cercana... Todo para evitar la pesadez abdominal y el malestar derivados del estreñimiento.

La medicina alternativa dispone de remedios eficaces contra el estreñimiento:

- **Homeopatía.** Para uso ocasional, la homeopatía recomienda Nux si al estreñimiento le acompaña la sensación de no haber expulsado todas las heces;

Alumina cuando no existe ningún deseo de ir de vientre.

- **Fitoterapia.** Para tratar el estreñimiento, es recomendable utilizar algunas plantas con efecto laxante como la raíz de regaliz (se toma por la noche), las semillas de hinojo, la linaza (se espolvorea sobre los cereales del desayuno o se añade a los guisos) y la semilla de lino marrón.

- **Reflexología facial.** Se basa en la estimulación de ciertos puntos de la cara con los dedos o con el extremo superior redondeado de un bolígrafo. Existen dos posibilidades: estimular los puntos marcados en el dibujo de la izquierda o recorrer con una presión enérgica la zona que rodea la boca (ver dibujo de la derecha) siempre de derecha a izquierda y terminando en el mentón. Realizar esta presión con los dedos índice y medio y con el pulgar apoyado bajo el mentón; apretar fuertemente y hacer el recorrido unas cincuenta veces. Estimular cada punto de la cara veinte veces.

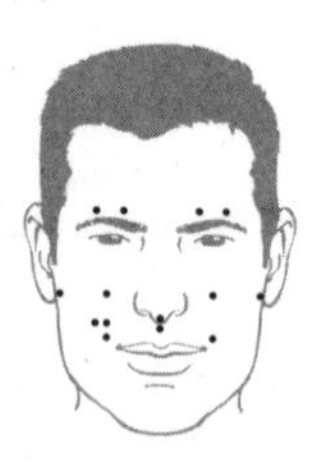

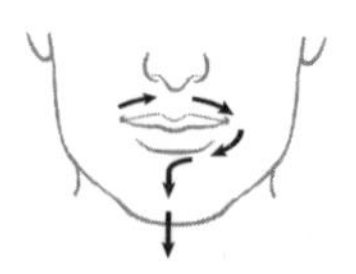

- **Movimientos abdominales.** La estimulación de los intestinos mediante movimientos de la pared abdominal favorece la evacuación. El yoga enseña a realizar estos movimientos de forma adecuada para evitar el estreñimiento. La persona debe ponerse de pie, algo inclinada hacia delante y con las manos apoyadas en la parte superior de las rodillas. En esta posición, realizar movimientos de vaivén con el abdomen, de forma que se ejerza un masaje sobre los intestinos. Realizar este ejercicio todos los días durante unos minutos.

Si somos conscientes de que la dieta es escasa en fibras o insuficiente podemos solucionarlo de la siguiente manera:

- **Añadir dos cucharadas de salvado de trigo a la leche del desayuno.** El salvado es fibra vegetal y, por lo tanto, aumenta el volumen de las heces y favorece su eliminación. Lo ideal es iniciar el tratamiento uno o dos días antes de salir de viaje y continuarlo durante la estancia. Simplemente hay que añadir dos cucharadas soperas de salvado al café con leche o a otro tipo de bebida (zumo...) en el desayuno. Si sabemos que es insuficiente, podemos repetirlo por la noche.

- **Tomar un laxante suave.** Las personas que padecen habitualmente estreñimiento suelen tener un laxante que saben que les funciona bien. Para evitar problemas, es aconsejable incluirlo en el botiquín de viaje y tomarlo en caso de necesidad. No es conveniente emplear un laxante irritativo, aunque puede usarse puntualmente.

Para evacuar adecuadamente, también es necesario disponer de unos momentos de tranquilidad y soledad al día, preferentemente por la mañana, después del desayuno. Si, por ejemplo, va con un grupo de gente y tiene el tiempo justo quizá sea conveniente levantarse un poco más temprano y desayunar antes que los demás. ¡Evitar la molestia del estreñimiento lo merece!

ARDOR DE ESTÓMAGO

El ardor de estómago es otro de los problemas que puede aparecer durante el viaje. El aparato digestivo es muy sensible a los cambios de alimentación y también al nerviosismo que suele acompañar a una nueva situación. Por otra parte, durante las vacaciones o los viajes de negocios suelen presentarse numerosas ocasiones que nos llevan a transgredir nuestra dieta habitual: olvidamos nuestras costumbres dietéticas para probar comidas nuevas, a menudo abundantes y grasas, acompañadas de alcohol. Es agradable, pero a veces hay que pagar el precio de las molestias digestivas, porque el aparato digestivo no está acostumbrado a digerir el tipo y la cantidad de alimentos que le damos.

El resultado puede ser ardor de estómago, a veces con pirosis, es decir, con una sensación ácida que asciende por el esófago y se siente detrás del esternón. La pirosis se debe a que el ácido que segrega el estómago para digerir los alimentos no queda detenido por una especie de válvula que existe al final del esófago, y asciende por él. La ingesta de algunos alimentos, la comida abundante o acostarse después de comer pueden producir este trastorno.

El ardor de estómago esporádico, que aparece con motivo de comidas abundantes, no debe preocuparnos demasiado, puesto que conocemos la causa. Existen algunos remedios para aliviarlo, siempre y cuando no «queramos prevenirlo» rechazando las excelentes comidas que nos proponen o un buen vino. Claro está que es mejor moderarse...

Las medicinas alternativas disponen de algunos remedios muy útiles en caso de padecer de ardor de estómago:

- **Homeopatía.** Recomienda Phosphorus si el ardor de estómago se acompaña de vómitos; Carbo vegetabilis si hay eructos abundantes; Nux si la acidez aparece una media hora después de comer; Pulsatilla si se debe a una comida abundante y aparece unas dos horas después de comer y Kali bichrom si existen vómitos.

- **Fitoterapia.** Las plantas más recomendadas para favorecer la digestión son la manzanilla, la menta, el hinojo, el anís y el tomillo, entre otras. Las dos primeras podemos encontrarlas fácilmente en forma de bolsitas de infusión en bares, restaurantes y hoteles.

- **Digitopuntura.** Esta terapia natural recomienda, para aliviar el ardor de estómago, masajear durante unos minutos un punto situado en el segundo dedo del pie (ver dibujo); favorece la desaparición de las molestias digestivas causadas por una indigestión y también alivia la resaca.

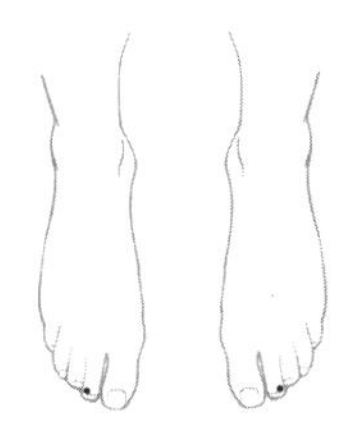

- **Reflexología facial.** La estimulación de ciertos puntos de la cara (ver dibujo de la página siguiente) con el dedo o con el extremo superior redondeado de un bolígrafo también puede ser útil para aliviar el ardor de estómago. Cada uno de los puntos debe ser estimulado mediante una presión giratoria intensa unas veinte veces. Este ejercicio se puede realizar antes de las comidas si prevemos que se van a producir trastornos, o después, para digerir mejor y aliviar las molestias. Puede realizarse también varias veces al día.

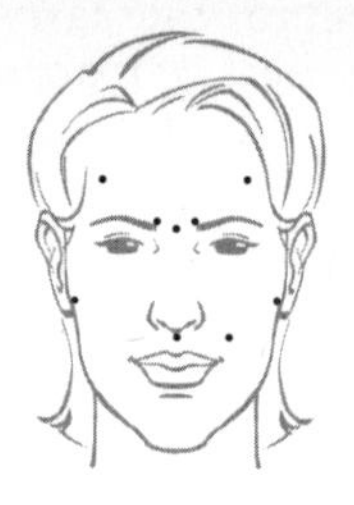

En caso de que el ardor persista puede ingerirse un antiácido (hidróxido de aluminio más hidróxido de magnesio). Lo ideal es utilizar comprimidos de algún preparado comercial, que deberemos llevar en nuestro botiquín de viaje. Son comprimidos que se chupan y neutralizan la acidez del estómago. Un ardor de estómago o unas molestias digestivas causados por los nervios del viaje y las comidas diferentes o abundantes cederá con este tratamiento; pero en caso de que los problemas persistan conviene acudir al médico una vez en casa para que examine detenidamente el aparato digestivo.

Para el alivio de la pirosis (acidez que asciende hacia la boca) es aconsejable no acostarse después de las comidas; también es beneficioso la colocación de un taco de madera u otro material de cinco centímetros debajo de las patas superiores de la cama para que la inclinación prevenga la ascensión de los jugos gástricos.

FLATULENCIA

La flatulencia o meteorismo se debe a un exceso de gas en el aparato digestivo que da lugar a una hinchazón abdominal y, a veces, a eructos y ventosidades. Puede deberse a múltiples causas, pero las más frecuentes son por comer deprisa, que permite la entrada de aire al tubo digestivo junto con los alimentos, por comer determinados alimentos que favorecen la formación de gas, como judías secas, garbanzos, lentejas, coliflor, etcétera, o por comer abundantemente. También es posible que pueda deberse a una enfermedad digestiva. Hay que tener en cuenta que la ingesta de antibióticos que destruyen la flora intestinal puede favorecer la flatulencia.

Varios son los remedios que ofrece la medicina alternativa:

- **Fitoterapia.** Este remedio natural recomienda, para el tratamiento de la flatulencia, el uso de algunas plantas medicinales como la manzanilla, la salvia, el tomillo, la mejorana y el romero.

- **Reflexología facial.** La estimulación con la punta del dedo o con el extremo redondeado de un bolígrafo de los puntos de la cara indicados en el dibujo alivia la flatulencia. Presionar cada punto de forma giratoria unas veinte veces. Realizar la sesión varias veces al día.

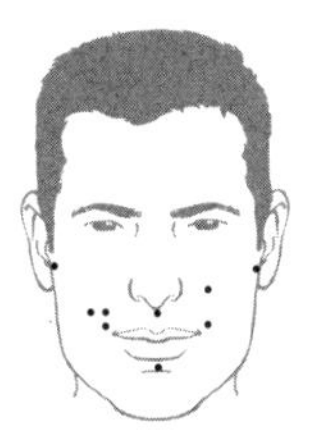

Existen algunos medicamentos alopáticos capaces de aliviar este problema en personas propensas; uno de ellos es la dimeticona, que se aconseja tomar después de las comidas y, en caso de necesidad también puede tomarse antes de acostarse. No se debe seguir este tratamiento durante muchos días seguidos.

DOLOR DE CABEZA

El dolor de cabeza es otro trastorno frecuente que suele aparecer en los viajes, especialmente en personas sensibles al mismo. Entre los factores que pueden propiciar su aparición se encuentran la tensión del viaje, el cambio de ambiente, el avión, el exceso de alcohol... Ni que decir tiene que el dolor de cabeza resulta sumamente molesto cuando se quiere disfrutar de unas vacaciones y por ese motivo es conveniente incluir algún remedio adecuado en el botiquín de viaje, especialmente si se es propenso a padecer migraña o dolor de cabeza tensional.

La medicina alternativa dispone de remedios muy eficaces para tratar el dolor de cabeza:

- **Homeopatía.** Recomienda Aconitum si el dolor aparece repentinamente; Arnica si empeora al agacharse; Bryonia si empeora al mover los ojos; Ruta si el dolor se acompaña de fatiga, empeora leyendo y se alivia con el descanso.

- **Digitopuntura.** El masaje de un punto que se encuentra en la parte externa del pie (ver dibujo) durante unos minutos es capaz, en ciertos casos, de aliviar el dolor de cabeza.

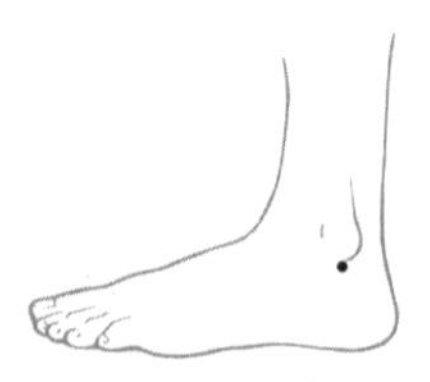

- **Reflexoterapia facial.** La estimulación de los puntos indicados en el dibujo de la página siguiente con la punta del dedo o con el extremo superior redondeado de un bolígrafo puede ser muy útil para aliviar el dolor de cabeza. Estimular de forma rotatoria unas veinte veces cada punto. El alivio suele ser inmediato.

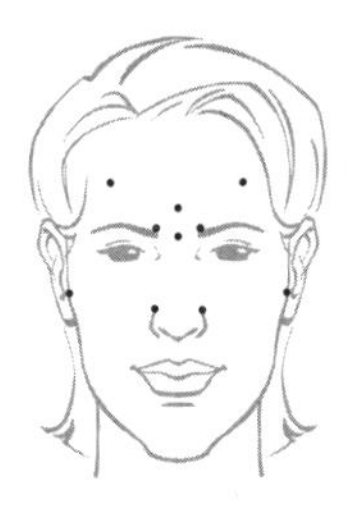

Las personas que padecen este problema con frecuencia ya conocen el tratamiento que mejor les alivia: deben recordar llevárselo. Sin embargo, el dolor de cabeza puede presentarse también en personas que no lo suelen padecer más que de forma ocasional; las condiciones del viaje favorecen su aparición. Por ello, pueden llevarse también algún analgésico suave (ácido acetilsalicílico o paracetamol). Tomar un comprimido en cuanto aparece el dolor y tenderse un rato en la cama en la semioscuridad suele ser, en la mayoría de los casos, suficiente para eliminarlo.

INSOMNIO

Se trata de un problema especialmente molesto durante un viaje, puesto que favorece el cansancio y el mal humor, e impide disfrutar del placer de conocer lugares nuevos. Algunas personas duermen mal sólo la primera noche que pasan fuera de casa, quizá debido al *jet lag,* al cambio de ambiente, de cama y al trastorno que representa el viaje. Otras, en cambio, presentan un insomnio persistente. Para evitar el insomnio o tratarlo si aparece, podemos tener en cuenta los siguientes consejos y remedios:

- **No cenar muy tarde ni abundantemente.** No siempre es posible, pero irse a la cama con el estómago lleno y bajo los efectos de un exceso de alcohol favorece el insomnio. Es preferible una cena ligera y temprana.

- **Tomar un baño relajante antes de acostarse.** Si la habitación dispone de bañera, podemos tomar un baño de un cuarto de hora antes de acostarnos para favorecer el sueño. Se pueden añadir al baño unas gotas de aceite esencial de manzanilla y geranio.

- **Ponerse tapones en los oídos.** Si el problema es el ruido, unos tapones en los oídos pueden ser la solución.

- **Plantas medicinales.** La valeriana es una planta medicinal muy útil para combatir el insomnio. Se puede conseguir en forma de comprimidos fáciles de tomar antes de acostarse. También puede tomarse una infusión de manzanilla o tila.

- **Homeopatía.** Emplea diversos remedios como Coffea, Nux, Pulsatilla y Opium.

- **Reflexoterapia facial.** La estimulación de los puntos indicados en el dibujo con la punta del dedo o el extremo superior redondeado de un bolígrafo puede ser de gran utilidad para combatir el insomnio. Ejercer una fuerte presión rotatoria sobre cada punto unas veinte veces.

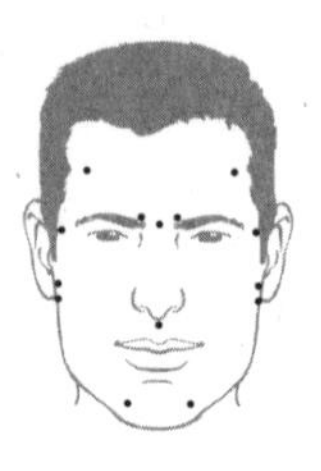

Si el sueño no se presenta o nos despertamos a media noche y no podemos volver a dormir, puede ser contraproducente empezar a dar vueltas en la cama y obsesionarse por la falta de sueño; es mejor ponerse a leer un libro agradable hasta que éste vuelva. También puede ser útil escuchar música suave y relajante con unos auriculares adecuados para no molestar a los demás.

El último recurso será tomar un somnífero suave (una benzodiacepina de acción rápida, por ejemplo). Ésta es una solución extrema y poco recomendable, porque es posible que la dosis de medicamento necesario para inducir el sueño produzca también dificultad para despertar al día siguiente y sensación de cansancio o letargo durante el día. Sin embargo, una dosis baja puede ser adecuada si el insomnio persiste. Las personas que suelen padecer este problema de forma habitual deben consultar a su médico para que les recomiende el tratamiento más adecuado y con menos efectos secundarios. Se trata de un tipo de medicamento que sólo se vende con receta médica, por lo tanto, hay que llevarlo en el botiquín, ya que de lo contrario tendremos dificultades para conseguirlo en el lugar de destino.

LA VIAJERA EMBARAZADA

En principio, no existe ningún problema para que una mujer embarazada viaje, siempre que el embarazo se desarrolle con normalidad, puesto que no se trata de ninguna enfermedad, sino de una condición fisiológica. Sin embargo, conviene tener en cuenta ciertos aspectos para hacer más agradable el viaje y solucionar los pequeños trastornos que puedan presentarse, además de prever posibles complicaciones que puedan afectar a la embarazada o al feto.

Si la embarazada padece una enfermedad (hipertensión, una enfermedad del corazón, diabetes, anemia, insuficiencia renal, etcétera), no es aconsejable realizar viajes, porque en este caso nos encontramos ante un embarazo de riesgo. Tampoco es aconsejable si se han presentado anteriormente complicaciones en el embarazo. El médico determinará si existen otras causas que contraindiquen el viaje.

A la hora de planificar un viaje durante el embarazo, conviene tener en cuenta una serie de factores que influyen en la elección del destino y el medio de transporte:

- **Posibilidad de náuseas y mareo.** La embarazada presenta mayor facilidad para marearse en los transportes, lo que hace del coche, el autocar y el barco vehículos poco adecuados para el viaje, puesto que su movimiento favorece el mareo.

- **Necesidad de moverse.** La mujer gestante necesita moverse periódicamente pare evitar que la sangre se estanque en las piernas y éstas se hinchen. Por lo tanto, los transportes que no disponen de espacio para caminar no son muy adecuados.

- **Necesidad de ir al lavabo con frecuencia.** La presión que ejerce el feto sobre la vejiga y otros cambios fisiológicos que se experimentan durante el embarazo hacen que la mujer tenga ganas de orinar con frecuencia. Los transportes que carecen de lavabo no son los más adecuados.

Estos factores hacen del tren el medio de transporte más cómodo y adecuado para la mujer embarazada, porque dispone de lavabo y de espacio para caminar, y además, el movimiento del tren no favorece el mareo. Los vehículos menos adecuados son el coche particular y el autocar: disponen de poco espacio y favorecen el mareo. El barco es amplio y tiene todos los servicios, pero su movimiento puede provocar náuseas. El avión también es un medio adecuado, aunque en algunos casos puede favorecer el mareo.

La duración del viaje es importante. No existe ningún problema para realizar un viaje muy largo durante el embarazo, sin embargo, habrá que tener en cuenta los aspectos considerados anteriormente. Si se viaja en tren, en avión o en barco, conviene dar un largo paseo cada hora para evitar la acumulación de sangre y líquido en las piernas; es interesante hacer los ejercicios que hemos expuesto en el apartado de los viajes en avión. Si se ha elegido viajar en coche, hay que hacer una parada cada hora para estirar las piernas, caminar un poco y hacer los ejercicios.

En cuanto al lugar de destino, la lógica recomienda evitar los países muy calurosos, los viajes llamados de aventura, el *trekking*, el submarinismo y las grandes alturas. También conviene tener en cuenta que el feto es muy sensible a ciertos virus (rubéola, fiebre amarilla, poliomielitis, sarampión, etcétera) y, por lo tanto, si la embarazada no está convenientemente vacunada, quizá sea mejor no visitar ciertas zonas donde existen enfermedades endémicas. El especialista en Medicina Tropical puede dar buenos consejos al respecto.

Es especialmente importante que la embarazada que desea emprender un viaje consulte con su médico. Muchos medicamentos están contraindicados durante el embarazo, por lo tanto, convendrá incluir en el botiquín solamente los permitidos. La medicina alternativa puede ser muy útil en ciertos trastornos leves, como las náuseas, el estreñimiento o el ardor de estómago, tan frecuentes en la embarazada y en los viajes. Para el tratamiento de cada trastorno, consulte el apartado correspondiente, siempre teniendo en cuenta que los medicamentos quizás estén contraindicados; por ejemplo, es mejor utilizar paracetamol que ácido acetilsalicílico durante el embarazo, puesto que este último puede producir alteraciones en el feto. Por otra parte, el dimenhidrinato (medicamento muy empleado para evitar el mareo del movimiento) no debe utilizarse durante el embarazo.

VIAJAR CON NIÑOS

Como en el caso de la mujer embarazada, nada impide viajar con niños, por más pequeños que sean, pero habrá que tener en cuenta una serie de factores para que el viaje no se convierta en una pesadilla, tanto para los pequeños como para sus padres. Los niños tienen una serie de necesidades que podemos resumir así:

- **Necesitan moverse.** No podemos pretender que un niño esté tranquilamente sentado en el avión durante horas y horas; necesita jugar, moverse y relacionarse con los demás.

- **Necesitan comer a sus horas.** No es conveniente que un niño aguante durante horas sin comer porque ha habido un retraso; necesita un aporte de calorías adecuado y regular para que su organismo funcione correctamente.

- **Necesitan beber de forma regular.** La hidratación es especialmente importante para el pequeño organismo de un niño y, por lo tanto, debe beber agua y otros líquidos de forma regular.

- **Necesitan dormir mucho.** Las horas de sueño diario de un niño dependen de su edad, pero siempre son superiores a las de un adulto. Si el pequeño no duerme lo suficiente, todo su organismo (cuerpo y mente) se resiente.

- **Necesitan que se les cambien los pañales.** Evidentemente, esto sólo ocurre con los más chiquitines, pero incluso los mayorcitos (cuatro o cinco años) necesitan ciertas condiciones para hacer sus necesidades sin problemas y, a menudo, deben hacerlo «urgentemente».

Estos factores hacen conveniente adaptar, en cierta medida, las características del viaje a los más pequeños. Quizá no sea necesario renunciar a ese viaje deseado al Caribe, pero tal vez sea conveniente hacerlo en varias etapas y tomar una serie de medidas adicionales que no consideraríamos en caso de que los viajeros fueran todos adultos.

También hay que tener en cuenta que los niños son más sensibles a ciertas enfermedades. Las infecciones pueden ser más agudas en ellos, puesto que todavía no han entrado en contacto con ciertos microbios y no han desarrollado inmunidad frente a ellos. Además, ciertas infecciones que se pueden contraer en países tropicales o subtropicales son más graves en un niño. El paludismo, por ejemplo, puede ser muy grave para un bebé o un niño pequeño, y los medicamentos utilizados para la profilaxis contra el paludismo suelen presentar problemas a la hora de administrarlos a un niño, ya que algunos de ellos están contraindicados y otros producen trastornos.

Teniendo en cuenta estos factores, los padres deberán considerar el medio de transporte más adecuado a las características de sus hijos. Si los niños ya son mayores, quizá soporten bien cualquier tipo de transporte, pero siempre es mejor utilizar un medio que permita el movimiento y disponga de los servicios necesarios. Como en el caso de la mujer embarazada, el tren es uno de los mejores, seguido por el avión y el barco. El coche privado y el autocar disponen de poco espacio y prácticamente ningún servicio, por lo tanto, son los menos aconsejables para la comodidad del niño. Sin embargo, si se decide a viajar en el propio coche, conviene hacer frecuentes paradas en un lugar adecuado para que el niño pueda jugar, correr y saltar; conviene parar un rato cada hora. El coche particular también permite hacer un viaje largo en varios días; la estrategia es más soportable para los niños y puede permitir a los adultos descubrir lugares sorprendentes nunca imaginados. No debemos viajar en avión con un niño menor de dos semanas, porque la disminución de oxígeno en la cabina puede perjudicarle.

En cuanto a la duración del viaje, lo ideal es que sea corto, pero una buena planificación permite realizar viajes largos con toda tranquilidad y resultados excelentes. La clave está en hacer lo posible por evitar las largas esperas en aeropuertos y otros lugares, así como en prever juguetes y otros objetos para que el niño se distraiga. Las azafatas de vuelo suelen ser muy comprensivas con los pequeños y siempre tienen juguetes para entretenerlos.

El lugar de destino y las actividades durante la estancia son otros aspectos importantes a considerar. El sentido común induce a pensar que habrá más problemas si el niño es obligado a visitar museos o monumentos históricos que si puede corretear al aire libre o participar en actividades de ocio con otros niños. Su salud psíquica lo agradecerá.

Si nos acompañan niños, los trastornos más frecuentes que deberemos tener en cuenta a la hora de hacer el botiquín de viaje son:

- **Mareo.** Es bastante frecuente en los niños cuando viajan en coche, autocar, barco y a veces también en avión. Los remedios indicados en el apartado dedicado al mareo pueden ser útiles.

- **Diarrea.** La diarrea del viajero también puede afectar a los más pequeños. En los niños, es especialmente importante reponer las pérdidas de líquidos e iones lo antes posible, puesto que se deshidratan con mayor facilidad que los adultos. Deben aplicarse los métodos expuestos en el apartado correspondiente, siempre teniendo en cuenta que la escasez de orina, los ojos hundidos y la lengua seca son signos que alertan de la necesidad de llevar rápidamente al niño a un centro hospitalario.

- **Vómitos.** El mareo, un alimento nuevo o simplemente el trastorno que representa encontrase en un lugar extraño favorecen la aparición de vómitos. Como en el caso de la diarrea, lo esencial es reponer las pérdidas de líquido y acudir al médico si no ceden o si son muy abundantes.

- **Dolor de oídos.** Los cambios bruscos de presión que se producen sobre todo durante el despegue y el aterrizaje de los aviones favorecen el dolor de oídos, especialmente en los más pequeños. Se debe al colapso de la trompa de Eustaquio, que comunica la garganta con el oído medio. Si se trata de un lactante, el problema se soluciona dándole de mamar (o el biberón); si el niño es mayorcito, puede mascar chicle. Se trata de un problema pasajero.

- **Insomnio e irritabilidad.** El *jet lag* también afecta al niño, así como los cambios de ambiente y de clima, y puede tener dificultades para dormir e irritabilidad los primeros días. Los remedios que aportan las medicinas alternativas suelen ser suficientes para remediar el problema. No es aconsejable utilizar sedantes.

Otro aspecto importante a tener en cuenta antes de emprender un viaje con niños, especialmente si es largo, son las vacunas. Unas semanas antes del viaje, conviene acudir al pediatra para que valore la situación de vacunación del niño y las vacunas que deberá ponerse antes de emprenderlo para estar al día en este sentido. Este aspecto es muy importante si se piensa viajar a un país tropical o subtropical, donde existen enfermedades desconocidas en nuestro medio y que pueden requerir una vacuna. La polio, por ejemplo, no existe en España, pero sí en otros países, y puede ser necesario un refuerzo vacunal en un niño correctamente vacunado de esta enfermedad. Por otra parte en algunos países, especialmente en los africanos, las autoridades exigen para poder entrar ciertas vacunaciones, como veremos en el apartado de vacunas.

EL ANCIANO VIAJERO

Cada vez son más las personas mayores que hallándose en un momento de su vida sin obligaciones laborales, ni hijos pequeños que cuidar deciden viajar por el mundo. También son muchos los gobiernos que, atendiendo a esta demanda, potencian estos viajes con organizaciones y ayudas económicas. Es una buena idea, mucho mejor que quedarse en casa viendo la televisión. Los viajes permiten conocer nuevos lugares, nuevas culturas y a otras personas, lo que resulta sumamente estimulante para una persona mayor, que a menudo empieza a perder sus ilusiones y a relacionarse poco con los demás.

Sin embargo, la llamada tercera edad tiene considerables problemas de salud, que arrastran consigo en el viaje y que hay que tener en cuenta a la hora de planificar la salida y hacer el equipaje. Aun sin enfermedades, un anciano puede tener ciertas limitaciones físicas que le obliguen a descansar con mayor frecuencia, echarse una siesta después de comer, etcétera; en definitiva a tomarse las cosas con más calma. Sin embargo, no se puede generalizar porque si bien todo esto es cierto para muchas personas mayores, también son muchos los ancianos y ancianas que soportan bastante mejor que ciertos jóvenes los viajes más pesados y el ritmo más acelerado.

En general, conviene tener en cuenta los siguientes factores:

- **Problemas de movilidad.** El anciano camina más despacio y tiene dificultad para andar por lugares accidentados.

- **Problemas de equilibrio.** Las personas mayores tienen tendencia a perder el equilibrio y caerse.

- **Problemas de alteración del sueño.** Es posible que el anciano se duerma fácilmente durante el día y tenga dificultades para dormir por la noche.

- **Problemas de memoria.** Son frecuentes en las personas mayores, aunque no todas los presentan.

- **Trastornos urinarios.** En el hombre de edad avanzada, son casi constantes los problemas prostáticos, y en la mujer es frecuente la incontinencia urinaria, especialmente cuando realiza algún esfuerzo.

- **Enfermedades crónicas.** Son muchas las personas de edad avanzada con enfermedades como hipertensión, arteriosclerosis, insuficiencia cardiaca, diabetes..., que requieren un tratamiento continuado.

Estos aspectos hacen que los viajeros de edad avanzada deban tomar precauciones especiales a la hora de preparar sus viajes. Una consulta al médico les permitirá saber si su enfermedad es un obstáculo para ciertos viajes, el medio de transporte más conveniente, las vacunas que deben ponerse, etcétera. También es conveniente pedirle al médico que redacte un informe sobre sus enfermedades y tratamientos, por si es necesaria la asistencia médica en el extranjero; el informe debe traducirse al inglés si se viaja fuera de España, y los medicamentos deben figurar con su nombre genérico, puesto que los nombres comerciales varían de un país a otro. Tampoco hay que olvidar la tarjeta sanitaria.

Algunos consejos para preparar el equipaje:

- **¿Me llevo el bastón?** Puede ser una buena idea, especialmente si el viaje incluye caminatas por lugares históricos. El bastón ayuda a mantener el equilibrio y puede evitar las caídas.

- **Organizador de medicamentos.** Las personas que toman medicamentos pueden llevarse una cajita con compartimentos para las pastillas; ésta permite distribuir la medicación de toda la semana en tres o cuatro cajetines diarios. Una vez a la semana se llena toda la caja con los diversos medicamentos que hay que tomar a lo largo del día; de esta forma, sólo hay que recordar llevarse la cajita y tomar lo que hay en el cajetín correspondiente. Es una buena solución para personas olvidadizas.

- **Botiquín de viaje.** Debe prepararse minuciosamente para no olvidar ninguno de los medicamentos que hay que tomar cada día. También deben añadirse los medicamentos o remedios alternativos para los trastornos más comunes (diarrea, estreñimiento, dolor de cabeza...) como hemos descrito anteriormente. Una visita previa al médico de cabecera permitirá disponer de las recetas necesarias para que no falte medicación.

- **Vacunas.** El médico también puede aconsejar sobre la necesidad de ponerse alguna vacuna o actualizar la vacunación del anciano. Según el país visitado, quizá sea necesario la aplicación de vacunas especiales.

- **Protección solar.** Es importante llevarse un sombrero o un elemento similar para protegerse del sol, así cómo crema protectora adecuada a la piel, especialmente en viajes a lugares calurosos o en verano. El sol también perjudica a las personas mayores, que son muy sensibles a la deshidratación provocada por el calor.

- **Protección contra los mosquitos.** En ciertos países y en las zonas rurales, sobre todo en primavera y verano, los mosquitos y otros insectos pueden hacernos la vida imposible. Conviene recordar llevarse el repelente de insectos si se visita una zona con este problema.

Ni que decir tiene que, para las personas mayores, es especialmente importante llevar ropa y calzado cómodo. Los zapatos son muy importantes, puesto que las caídas son peligrosas a edades avanzadas; lo ideal es incluir en el equipaje unos zapatos deportivos de un material natural, planos y que sujeten bien el tobillo.

Las características del equipaje también son importantes. Es mejor llevarlo todo en una maleta que tener que controlar varios bultos. Existen maletas muy adecuadas para personas mayores, con un asa y ruedas (casi como un carrito de la compra). Un bolso de mano ligero con las cosas más necesarias será suficiente como complemento de la maleta.

Si viajan en avión, las personas de edad avanzada deben tomarse muy en serio las recomendaciones que hemos dado en el apartado correspondiente. Para ellas, es esencial prevenir la trombosis venosa y la deshidratación, puesto que son especialmente sensibles a ambos trastornos. Los ejercicios recomendados y la ingesta abundante de líquidos constituyen aspectos esenciales. Así que no olvide su botella de agua y ¡buen viaje!

LOS ACCIDENTES

Otro aspecto que no debemos olvidar cuando salimos de viaje es la posibilidad de sufrir un accidente. Los más frecuentes son, con mucha diferencia, los accidentes de tráfico, especialmente los que afectan a coches particulares. De hecho, la muerte debida a un accidente en la carretera está entre las principales causas de mortalidad, junto con los ataques cardiacos y el cáncer. Las tres «C» (cáncer, corazón y carretera) son los enemigos más temibles de las personas de los países desarrollados. Los grandes accidentes de avión o tren son mucho menos frecuentes y, por supuesto, no podemos hacer nada para evitarlos. Por otra parte, debemos tener en cuenta también accidentes de otro tipo, como caídas, golpes, torceduras de tobillo, heridas..., para los cuales conviene estar mínimamente preparados.

Podemos hacer mucho para evitar un accidente de tráfico, aunque siempre existe un factor que depende de los demás conductores y sobre el cual no podemos influir. Las recomendaciones son de todos conocidas, pero conviene recordarlas una vez más:

- **Respetar los límites de velocidad permitidos.** Conviene conocerlos antes de llegar a un país desconocido y respetarlos.

- **Ponerse el cinturón de seguridad.** Puede salvarnos la vida en caso de accidente.

- **Llevar a los niños pequeños convenientemente sentados en sus sillitas reglamentarias.** Además de un requisito legal, es una garantía de seguridad.

- **No beber alcohol si se va a conducir.** Es una norma básica. Es bien sabido que el alcohol disminuye los reflejos, que son imprescindibles para evitar accidentes.

- **Hacer frecuentes paradas.** Permiten descansar tanto al conductor como a los demás pasajeros. Lo ideal es parar al menos cada dos horas y cada hora si hay niños o mujeres embarazadas.

- **Descansar lo suficiente.** Un conductor cansado después de una noche de insomnio es más propenso a sufrir accidentes.

- **Beber suficientes líquidos.** Es una buena idea llevar siempre una botella grande de agua y beber de vez en cuando.

- **Llevar un pulverizador con agua.** Puede ser muy útil para refrescarse la cara en verano o en países calurosos, aunque es mejor no viajar durante las horas más calurosas del día.

- **Hacerse un seguro de asistencia en carretera.** Puede sernos muy útil en caso de avería mecánica o accidente.

Tener unas nociones básicas de primeros auxilios es muy útil en caso de accidente, y en muchos casos puede representar la diferencia entre la vida y la muerte. Si carecemos de estas nociones, es importante no hacer nada que pueda empeorar la situación de un herido grave; lo mejor es esperar a que lleguen los servicios de urgencias, siempre y cuando las circunstancias lo permitan. Estas nociones de socorrismo nos permitirán también solucionar con eficacia los pequeños problemas que puedan surgir durante un viaje, como torceduras de tobillo, ampollas, heridas o golpes.

VIAJAR A ZONAS TROPICALES O SUBTROPICALES

Cada vez son más las personas que se interesan por culturas diferentes y países exóticos, o que simplemente quieren pasar unas semanas de descanso en una playa paradisíaca del Caribe. Las zonas cálidas de nuestro planeta esconden bellezas increíbles, pero también son las más peligrosas para la salud: la humedad y el calor favorecen el desarrollo de insectos y microbios de todo tipo, y las malas condiciones higiénicas de estas zonas favorecen las enfermedades infecciosas y parasitarias.

Esto no significa que no podamos visitar estos maravillosos lugares con tranquilidad, pero deberemos tomar precauciones especiales antes, durante y después del viaje.

Antes del viaje:

- **Acudir a un servicio de Medicina Tropical.** Los médicos especialistas en Medicina Tropical nos darán valiosos consejos sobre la forma de movernos por estos países y nos indicarán las vacunas que debemos ponernos antes de salir y los medicamentos que debemos llevar. Es imprescindible conocer con detalle el itinerario que haremos, para que el médico pueda indicarnos las enfermedades endémicas que existen en la zona.

- **Preparar el botiquín.** Es más importante que en otro tipo de viajes, puesto que es probable que no encontremos allí todo lo que necesitamos. Debemos incluir los medicamentos indicados por el médico para la profilaxis de ciertas enfermedades como el paludismo, los medicamentos que tomamos habitualmente (en caso de que así sea) y los demás elementos del botiquín indicados en el apartado correspondiente. Es especialmente importante llevar suero de rehidratación oral (las diarreas son frecuentes) y antisépticos.

- **Vacunarse.** Es requisito de algunos países para pasar la frontera estar vacunados de ciertas enfermedades (como del cólera y de la fiebre amarilla). Sin embargo, el médico especialista en Medicina Tropical nos puede aconsejar otras vacunas según la zona que visitemos.

- **Iniciar la profilaxis de ciertas enfermedades.** Si visitamos una zona con alto riesgo de paludismo, deberemos iniciar, antes de salir, el tratamiento con los medicamentos adecuados (éstos dependen de los microbios predominantes en la zona). El médico nos indicará cómo hacerlo.

Durante el viaje:

- **No comer alimentos crudos o que se vendan en la calle.** Es una de las formas más frecuentes de contraer ciertas infecciones, especialmente las que dan lugar a diarrea o diversos tipos de parasitosis intestinales. Si queremos comernos un mango o una piña, es mejor comprarlos enteros en el mercado y prepararlos nosotros mismos.

- **No beber agua del grifo.** En estos países, agua entubada no es sinónimo de agua potable; quizá se realice algún tipo de tratamiento potabilizador, pero puede no ser fiable. Es mejor beber agua u otro tipo de refresco envasado. Según el tipo de viaje, será conveniente llevarse pastillas u otro tipo de productos para potabilizar el agua.

- **No beber refrescos preparados con agua de origen dudoso.** También pueden estar contaminados los refrescos que se preparan con agua, como ciertos zumos de frutas. Si el establecimiento no ofrece suficientes garantías, es mejor no beberlos. Son seguras las bebidas en las que hay que hervir el agua para su preparación, como el café, el té, etcétera.

- **Protegerse de los insectos.** Éstos pueden transmitir muchas enfermedades, como el paludismo, la fiebre amarilla, la enfermedad del sueño, la enfermedad de Chagas... Los repelentes de insectos son útiles para evitar picaduras, pero no debemos olvidar la eficacia de las telas mosquiteras si viajamos a zonas rurales con una incidencia alta en alguna de estas enfermedades. Ropas que cubran la mayor cantidad de piel posible también son recomendables.

- **No bañarse en ríos y lagos.** Algunas enfermedades parasitarias, especialmente la esquistosomiasis, se contraen bañándose en ciertos lagos o ríos que tienen un tipo de caracoles portadores del parásito. Se conocen las áreas geográficas de estos lagos y ríos y, por tanto, es conveniente tener esta información y no bañarse en caso de estar en una zona de riesgo.

Después del viaje:

- **Acudir de nuevo al médico de Medicina Tropical.** Al volver, es conveniente acudir de nuevo al especialista en Medicina Tropical. Podremos contarle los problemas de salud que hemos tenido y someternos a un pequeño chequeo para comprobar si hemos contraído alguna enfermedad. Algunas infecciones y parasitosis no producen síntomas al principio, pero a la larga pueden producir trastornos difíciles de diagnosticar por un médico no especialista.

- **Continuar con la profilaxis de ciertas enfermedades.** Si iniciamos una profilaxis contra el paludismo antes de salir y después durante el viaje, deberemos continuarla unas semanas más una vez en nuestro país de origen, para eliminar cualquier parásito que se haya introducido en nuestro cuerpo. Es un aspecto importante que fácilmente se pasa por alto.

VACUNAS

Para viajar a ciertos países de África y Asia, es obligatorio vacunarse contra el cólera y la fiebre amarilla, ya que algunos gobiernos no permiten la entrada al país sin la certificación de estas vacunas. Por ello, conviene enterarse previamente de estos requisitos formales para no tener que dar marcha atrás.

Por otra parte, debemos considerar los aspectos puramente sanitarios de la vacunación. Por ejemplo, la eficacia de la vacuna contra el cólera no llega al 50 % y sólo dura seis meses, por eso solamente debe administrarse cuando viajemos a países que lo exigen, pero no como medida para evitar la enfermedad. En cambio, la eficacia de la vacuna de la fiebre amarilla es del 95 % y dura unos diez años, por lo que se recomienda administrarla cuando se viaje a países donde esta enfermedad es transmitida por un mosquito.

Lo mejor que podemos hacer es consultar al especialista en Medicina Tropical. Con el itinerario detallado de nuestro viaje, podrá decirnos qué vacunas son las adecuadas o si no nos hace falta ninguna.

Las vacunas más importantes a tener en cuenta para este tipo de viajes son las que se indican en el recuadro de la página siguiente. Algunas de ellas requieren la administración de varias dosis al inicio. Consideraremos la eficacia y la duración teniendo en cuenta una vacunación inicial completa.

	ES NECESARIA	EFICACIA	DURACIÓN
Cólera	Si el país visitado lo tiene como requisito de entrada.	Inferior al 50 %	6 meses
Fiebre amarilla	En países que lo exigen para entrar y en ciertas zonas de África subsahariana y América del Sur.	90-95 %	10 años
Hepatitis A	En países con condiciones higiénicas deficientes.	99 %	10 años
Meningitis	En países donde se producen epidemias de meningitis por meningococo.	95-98 %	3-5 años
Poliomielitis	En países donde existe esta enfermedad.	Cercana al 100 %	10 años
Rabia	En zonas rurales de países donde existe la rabia y no hay posibilidad de disponer de la vacuna en 24 horas, después de haber sido mordido por un animal posiblemente infectado.	90 %	2-3 años
Sarampión	En adultos que no se hayan vacunado de esta enfermedad anteriormente ni hayan padecido la enfermedad, cuando viajen a países con alta prevalencia de la infección.	95 %	Toda la vida
Tétanos	Siempre. Todas las personas deberían estar correctamente vacunadas contra el tétanos, tanto si viajan como si no. Podemos aprovechar el viaje para ponernos al día.	Cercana al 100 %	10 años

Hay que tener en cuenta que las vacunas tienen contraindicaciones. No deben administrarse en caso de padecer una enfermedad aguda o un cáncer, así como en pacientes con inmunodepresión debida a una enfermedad o a un tratamiento. Por otra parte, algunas vacunas no pueden administrarse a mujeres embarazadas, ni a personas que padecen ciertas enfermedades crónicas o alergias.

Las vacunas también pueden producir efectos secundarios más o menos importantes, aunque en general son leves. Por lo tanto, es mejor ponérselas unos meses o unas semanas antes de iniciar el viaje, pues dará tiempo al sistema inmunitario del organismo a fabricar las defensas necesarias que nos protegerán de la enfermedad de la que nos vacunamos.

ENFERMEDADES

En los países tropicales y subtropicales, existen enfermedades que desconocemos en nuestros países. Las que más deben preocuparnos en un viaje son las enfermedades infecciosas y las parasitarias.

TIPOS DE ORGANISMOS PATÓGENOS
Virus. Son los microbios más pequeños que se conocen y contra los que no existe tratamiento, excepto en algunos casos.
Bacterias. Son más grandes que los virus y existen numerosos antibióticos para su eliminación.
Protozoos. Su tamaño es mayor que el de las bacterias y también disponemos de tratamiento contra las enfermedades que producen.
Hongos. Son muy variables en tamaño y forma. Se dispone de tratamientos eficaces para eliminarlos.

Lombrices. Son animales completos que parasitan el intestino u otras partes del organismo. Existe tratamiento para eliminarlos.

Otros parásitos. Podemos considerar la sarna, los piojos, las pulgas, las garrapatas, entre otros. Existen tratamientos para luchar contra ellos.

El riesgo de adquirir una enfermedad infecciosa tropical depende mucho de la zona que visitemos. No es lo mismo un viaje organizado que permite dormir en grandes ciudades y buenos hoteles, que un viaje en mochila. Por otra parte, muchas de estas enfermedades tienen una incidencia bastante localizada e incluso señalizada. Por ejemplo, la enfermedad del sueño afecta a zonas bien conocidas en las que existen indicaciones e incluso controles para evitar que las personas que salen del área afectada transmitan la enfermedad a otras áreas. En otros casos, deberemos conocer qué enfermedades son frecuentes en la zona de viaje y tomar las precauciones correspondientes.

Las formas más frecuentes de transmisión de enfermedades en los países tropicales y subtropicales son:

- **Transmisión por vía oral.** El agua y los alimentos contaminados son una causa importante de enfermedades en estos países. Las personas que padecen ciertas infecciones por virus (como la hepatitis A), por bacterias (como el cólera o el tifus), por protozoos (como la amebiasis o la giardiasis) o por lombrices (como la ascaridiasis, la teniasis o la oxiurasis) pueden contaminar con sus heces el agua que después pasará a las redes de abastecimiento; si las medidas de potabilización no son adecuadas, lo cual es muy frecuente, la ingesta de esta agua es capaz de transmitir enfermedades. Por otra parte, estas personas pueden contaminar con sus manos los alimentos que preparan si no tienen las condiciones de higiene adecuadas.

- **Transmisión por picaduras de insectos.** Es otra forma muy frecuente de contraer una enfermedad tropical. El paludismo, la fiebre amarilla y el dengue se transmiten por la picadura de un mosquito y la enfermedad del sueño por la picadura de una mosca (tsetsé). Otras enfermedades de este tipo son la filariasis, la leishmaniasis y la enfermedad de Chagas. Conocer las costumbres de estos insectos (dónde viven, a qué horas es más probable que piquen, etcétera) y disponer de una buena protección (repelente de insectos, mosquitera, ropa adecuada...) es muy útil para evitar enfermedades.

- **Transmisión sexual.** Las relaciones sexuales son responsables también de la transmisión de muchas enfermedades en estos países; el sida, la sífilis, la gonorrea, la uretritis no gonocócica, el chancro blando, el lingogranuloma venéreo, el granuloma inguinal, la hepatitis B y los piojos del pubis son algunas de las más importantes. Para evitar el riesgo de contagio, el preservativo es el medio más eficaz, además de, por supuesto, evitar las relaciones sexuales con personas desconocidas.

- **Transmisión por contacto directo.** El contacto con la piel de una persona que padece una infección por hongos o sarna es la causa del contagio de estas enfermedades y otras similares. Los hongos son especialmente frecuentes en países cálidos y húmedos, pero una higiene adecuada suele ser suficiente para evitarlas durante un viaje. La sarna es producida por un ácaro que se introduce en la piel y provoca un picor muy intenso. Los piojos pueden transmitirse por contacto directo con una persona que los albergue.

Otras enfermedades se transmiten por vía aérea, como la tuberculosis, una enfermedad bastante frecuente en los países pobres, que se transmite a través de las minúsculas gotitas de saliva que expulsa la persona infectada al respirar o toser. Otras infecciones que conocemos bien, como el catarro o la gripe, también se transmiten por esta vía.

Si viajamos por una zona rural, debemos tener en cuenta enfermedades que pueden causar la muerte, como el tétanos, una bacteria que puede hallarse en cualquier sitio y que se contrae a través de una herida, y la rabia, que se contrae por la mordedura de un animal contaminado con este virus mortal.

A pesar de la cantidad de enfermedades que existen en los países tropicales y subtropicales, la mayoría de los viajeros que los visitan regresa a sus países sin haber padecido ninguna; otros sólo sufren una pequeña diarrea, y solamente unos pocos contraen el paludismo u otra enfermedad grave.

CONCLUSIÓN

Viajar es una forma interesant
libre. Cada vez son más las personas qu
de sus vacaciones a visitar su propio país, otros p
o a recorrer en bicicleta o a pie caminos rurales. Podemos utilizar diversos medios de transporte (bicicleta, coche, autobús, tren, barco, avión) pero todos los viajes tienen algo en común: el viajero se encuentra lejos de su ambiente habitual, de su casa. Este factor es determinante a la hora de pensar en los aspectos sanitarios del viaje, que deberemos prever sin excedernos.

Llevar un buen botiquín de viaje que contenga todo lo necesario es el primer paso para solucionar los pequeños problemas que puedan surgir durante la estancia fuera de casa. Según el tipo de viaje y las características de los viajeros, también habrá que pensar en otros elementos (medicamentos habituales...).

Las excursiones a pie o en bicicleta son una buena forma de conocer nuevos lugares o simplemente de hacer ejercicio. En este caso, el botiquín estará más orientado a los golpes, heridas, torceduras...

Finalmente, los viajes a países tropicales o subtropicales requieren una atención especial, ya que allí las enfermedades son más graves y las condiciones sanitarias mucho peores. Lo esencial es informarse bien antes del viaje y consultar a un especialista en enfermedades tropicales para que nos indique las vacunas que debemos ponernos antes de partir, los medicamentos necesarios para la profilaxis de ciertas enfermedades y otros consejos sobre este tipo de enfermedades.

Una vez todo preparado, podemos salir tranquilos y disfrutar del viaje.

PARA SABER MÁS

Corachán Cuyás, M.; Gascón Brustenga, J.; Ruiz Guzmán, L; Battestini Pons, R. *Salud y viajes. Manual de consejos prácticos*. Masson, Barcelona, 1993.

Cruz Roja Española. *Socorrismo y primeros auxilios*. Cruz Roja Española, Madrid, 1991.

Font Quer, P. *Plantas medicinales. El Dioscórides renovado*. Lectus Vergara, Barcelona, 1996.

Grupo Similia. *Homeopatía para todos*. RBA Integral, Barcelona, 1987.

Gümbel, D. *Aromaterapia, cómo usar los aceites esenciales*. RBA Integral, Barcelona, 1997.

Schmidt, S. *Bienestar y armonía con las flores de Bach*. RBA Integral, Barcelona 1997.

Tortosa, P.; Fornés, M.ª M. *España en bici*. RBA Integral, Barcelona, 2002.